JN290492

写真で覚える

棒術

初見良昭

土屋書店

BOJUTSU

棒　術／目次

第1章　棒術の歴史と資料

第2章　棒術の実際　41

第1章
棒術の歴史と資料

高松寿嗣から初見良昭へ

大和畝傍山における若き
日の高松先生の神技

近畿大学で指導中の勇姿
（70歳）

高松先生から筆者への辛棒一貫の伝承

❶

❷

❸

橿原神宮にて，高松先生に棒術の稽古をつけていただいているワンシャッター。
「そや，その調子」
「あかんな，それ!!」
未熟な頃の私でしたが，楽しい毎日でした。

下段の構え

上段の構え

大映『忍びの者』での指導時の高松先生の妙技

橿原神宮広場にて，高松先生に指導を受ける筆者

●棒の木質

棒を扱う以上，棒の木質について知らないといけません。調度，刀剣を見るように棒についての鑑定眼も養って下さい。棒は何と言っても一番多く使われるのが，正宗の名刀ならずとも，赤樫です。がしかし，自生する土地柄によっても強弱の特性があります。私の住んでいる下総地方の赤樫はぼやっとした赤いような色をしており，九州地方の赤樫は赤く染めあげたような光沢を放っておりますが，わりとねばりがなくもろいと言われております。しかし長崎の一部にある赤樫の木は，固く丈夫であると言われ，古くからこの赤樫を武器の柄などに用いられておりました。

下総の赤樫は色はよくありませんが，丈夫な荒樫と言うのもあります。これは色がうす黒く，くさったような色をしておりますが，非常に強い木です。

「学者に言わせると樫の木には７種類あり，白樫・青樫・赤樫・荒樫・椎の木の５種類がこの辺(野田)に生えていますよ。九州の方では，椎(しい)の木も樫の仲間ですから，椎樫とも言っています」と，棒作りの古老が話してくれました。辞書を見ると，アラカシ・シラカシ・アカガシ・ウラジロガシ・イチイガシ等の10種類があると記されております。

樫の木も，９月の彼岸から12月の初旬にかけて伐ったものが一番よいとされています。寒中に伐ってもよいのですが，油がのっており虫に食べられやすいのですね。

樫の他にはビワもあります。モク(椋の木）でもよいのですが素性がよく真っ直ぐなものが本当に少ないですね。棒は第一に樫で，次に欅(ケヤキ)がよいでしょう。

棒術の歴史

棒術を修業する前に，武の真髄は柔体術であり，武器の主体は棒と石である。武の神妙（しんたえ）の骨子は，身体の構は勿論のことですが，何と言ってもその体の構を支配するのは精神であると言うことを知って下さい。棒を振ったり，石を投げたりする人類の発生は一時代や環境によってもまちまちのこともあるでしょう。そこで九鬼神流に残る記録からお話ししましょう。

太古時代には三尺五寸の刀棒と言うものがあり，片方に石輪がはめこまれたり，八尺の棒の両端にそれ相応の石輪がはめられており，これで敵の頭を打ち砕いたと言われております。

後世になり，その刀棒や八尺棒の術が上手になるにつれて，その石輪がはずされ，刀棒は三尺位になり，半棒の術や棒刀術や杖術へと進化していったのです。勿論八尺の棒も石輪がはずされ，六尺棒の術が生まれたのです。

古い棒術の流派としては神伝流・樋神流・熊野流・九鬼神流・八方流・高木流であると記されております。ほこのことを古い言葉では秀木と言います。長い木の棒のことをさしておりますが一方では将軍木と言って，赤樫の木を用いております。高浜虚子が「去年今年　貫く棒の如きもの」と言う句を残しておりますが，貫く棒の歴史を語る前に，どうしても武道の歴史を知って，棒魅を改めて味わい，棒の真髄を把握していただきましょう。私が師伝されました伝書には，『最古の記録にては，兵法とは打拳体術　棒術　剣術弓馬術の此五法を差して兵法と言ふている。之れを以て国を定め安んじ身を守ると言ひ伝えたので有ったが，継体天皇九乙未年三月伴跛城を築く同二二戊申年物部麁鹿火をして磐井を誅せしむ磐井とは会て石を以て殿又は倉石楯を作り防備としたのである天智天皇三甲子年天皇は防備の重要なる事急務也と宣ふて壱岐対馬筑紫の要所に防人と烽燧と置かせらる筑紫に大堤を築き大水防備をなす防人を衛守又は衛使と言ふ同時に衛使の住に築城を必要とし長門に長門城筑紫に大野城及拠城等を築城せらる武内宿禰の孫宗次甲胄を造る妙技に達し子孫皆比技を以て著名也
此等時に三兵に関ふ按ずるに矛弓剣戈戟と以て五法となす即ち三兵に擬すとは是れ弓剣槍也然るに戈のほかは棒の如く技のない戈を言ふ矛比ほこは突出すに便である長柄の頭に刀を付けた式の武器で有る戟比ほこは先に又を付

けたるほこである之れ等を最古記録に残る元は蒙古人が使用した武器で我国紀元前に彼の国より写し入れた武器らしい春秋穀梁註疏に諸候三麾を置き三鼓三兵を陳ぶと漢文扶桑略に有る　将門の陣区討靡を被り三兵手迷ふと有る漢文は即ち弓と槍と刀の三法である兵の心得ていなければならない法の総称名詞であって必しも剣のみを指した言葉ではない永禄年間足利末期に山縣三郎兵衛が日く武芸四門とは弓鉄砲兵法陣営槍剣の此四也と之れも単に剣法の事にも使用していると言ふ丈けである甲陽軍鑑には兵法とは其表が築城陣営の軍法で其裏が各武芸である比の裏の武芸は単に剣のみ独立したのでない先づ剣も槍も使はんとするに当り体術は当然必要と思ふべし身体の自由と変化又奇蹟的現象を現はすにも当然体術の必要を思ふべし此体術の技無くして剣も槍も其技を自由になり難し故に体術を心得剣槍武芸一般を修得せる者を武士と言ふ也然れ共人それぞれ自己の特異とする武芸があった筈で然りと雖も常に槍を歩く事も妙に考へらるゝ為め武士は腰に両刀を帯びていた関係上剣を主体の如くする者が多くあったと言ふに過ぎない勿論江戸時代の武士の嗜みとして当然の事であっただらう剣法と言ふ分類された言葉が出来たのは足利末の兵法と総括されて呼ばれてゐたのとは発達当初の剣法を考へるに当り大切な鍵の一つである剣法の起源原因として戦乱時代どんな名人達人でも兜切りを行って斬っても大抵は斬り損じが多く斬っても要様一二寸しか斬込めないのが常で其兜に鎧をつけた者を道場で竹刀剣術の呼吸で斬っても叩いても到底刃の立つものでない所が槍は刀に比較すると十倍以上もの利益で兜鎧で固めた人間の隙を突く事が出来たから有利である此点からして流祖と称せらる人々も戦場では悉く槍を使用してゐた故に乱世当時は剣よりも槍であった剣法の流祖とせられてゐる飯篠家直の如きも北篠時隣の書残したものゝ中に長刀の名人とされてゐるし飯篠若狭守の神道流槍術又塚原ト伝は弓の歌を残してゐる本間解由左ェ門は槍をト伝から学んでゐる上泉信綱は長野業正に従いて修行して上野国一本槍と呼ばれてゐた斯くの如く又一方宮本武蔵は二刀流剣のみの如く言はれてゐるが武蔵流棒術有り武蔵流打拳体術の如きは一派をなして明治時代迄伝へ残されてゐる比如く古来の武士は武芸中兵法は元より築

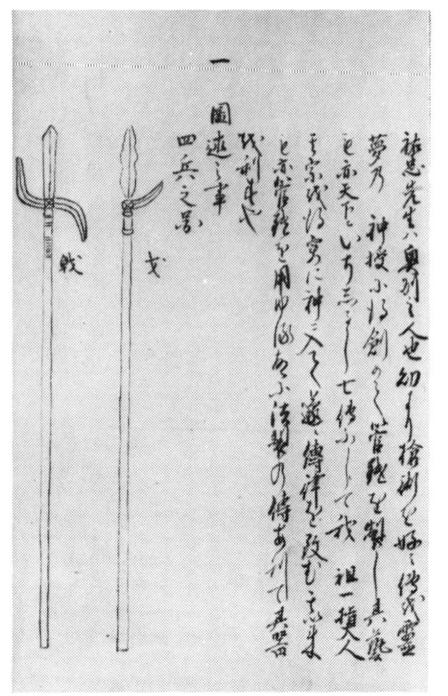

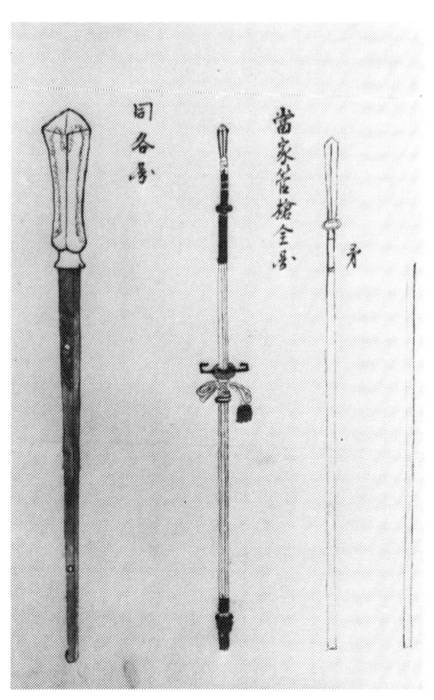

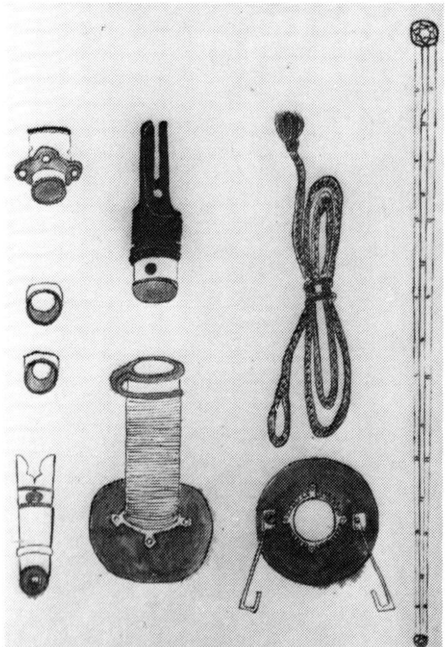

棒の先に武器がついて弋戦矛が生まれたと言う。後に，槍術，長刀術にと変化していくのである。

城剣槍体術馬術棒術等も誰れでもが心得てゐた元和後剣は剣槍は槍と区別せられて一方的に修行したらしいと言ふのは元和当時から平和が多少続いた関係から剣道が武芸の代表的に呼ばれてゐたからで乱世時は槍が重宝せられ天正以前には天門や築城が盛んにせられてゐた軍略兵法は特異性であったらしい古来城は一ヶ国に各豪族が築城した為に四五十ヶ城少なくとも一ヶ国に二三十城も有ったらしい又武芸の流名とても最古では流名はなかった塚原卜伝死後遥か後世に流名を呼ぶ事になった即ち武術盛大になるに従って他流と区別する為めに流名が付けられたのである始め武道一般を樋神の道と称し後世之れを樋神流と称し上方から起った武道を総称して京流と呼び鞍馬の僧八人が発明したのを鞍馬八流と言い之れを後に鬼一法眼流だと附加した又下総香取の郷士飯篠山城入道長威斉が天真正の剣を修練して新當流と号し卜伝も又新當流と称してゐる即ち東方の武を差して此新當流と称してゐる其後徳川末期に於ては三千以上の流名が現はれてゐた組討の一種で空手拳法と言ふのが有る之れは大師が天笠から易筋洗随と言ふ二巻の武書を持ち帰ったと言ふ記録はあるが少林寺派の拳法は達磨より先だと言ふている外家内家の二派が起きて空手として発達した空手は中国の拳法で唐宋時代に琉球に渡り来り発達した比空手が香港では太極拳と言ふて広く伝へられてゐるが聊か違った点が有るが大同小異である之れが朝鮮に渡って二十八型と言ふ術が伝へられてゐる又別に寛正年間日本に骨法術と言ふ技が現はれてゐるが之れ等比当時日本の武技をも総括して鞴韜樋神之秘伝と言ふ樋神と言ふ事は九つの神より伝へられた秘法と言ふ事で神秘誘掖神明誦咒誥霊一貫諟心通力神秘豹変神力礨心神秘虎豹神秘獅豹真贇龍力其九秘伝である其九秘中に天門地門築城軍略陣営火術弓矢水泳剣法馬術槍術薙刀棒術打拳体術其他一切の武技が伝へられてゐる空手道が古い歴史を言ふてゐるが日本国内でも最古に空手に類似の技が五十琴宿禰の妙技として記録が残ってゐる之れも当時唐より伝へられしものか之れを打拳体術と称してゐる垂仁天皇七年七月當麻蹶速と野見宿禰と相撲を捕った事が日本歴史に残ってゐるが之れは現代の角力から見てむしろ体術と言ふ方が妥当である応神天皇の御時漢主の裔阿知使主父子が十七縣の民を率い

て帰化してゐる其中に猛伯仲と言ふ高麗西川王の臣がゐた之れが唐手の達人であり彼の地の薙刀の達人であった記録が残ってゐる之れに五十琴宿禰が伝へられたのでないか又一説に七十年後本朝の天智天皇二登亥年九月頃孫仁師百済と戦ひ百済敗れて百済王餘豊高麗に走る其臣張武勝従者と共に日本に逃れ来る張武勝唐手及び薙刀の達人たり之れを日本に広むとも記録にある此空手を加味したと思はるゝ打拳体術の技が無くして各武芸が得難い即ち打拳体術は相手方の武技を身軽く自由に代はす又高き処も身軽く飛高る然して左右の両拳両足敵を崩く技である然らば打拳体術を学び後他の武芸を修行するかと言ふに左にあらず何の武芸にても比技が伴のうて居る事である特に比技のみ修行せし者は別として各武芸に自然に体術が備はる事を前提としてをるので有る比武芸記録に流祖と流名別に武技の書加へてあるのは特異の武力を記録したもので皆武芸一般心得有る名人記録也云々……』そして延々と武芸者の記録が列記されております。

棒の稽古法として，型を正しく練習することも大事ですが，それと同時に体術の修業をおこたってはいけません。

棒術は，突き技を大事にすることが多いのです。極意の唄に「棒先で　虚空を突いて　我手先　手答えあれば　極意なりけり」と言うように，心を突くことも悟らなくてはいけません。正しい突きを会得するためには，柱に五寸釘を一寸さしておき，釘の頭に向かって棒で突きます。

始めは釘が飛んでしまうことが多いのですが，柱に釘がささっていけばＯＫです。次に体で突き，体で引く。この時，棒を掌の中で強くにぎることなく，宙で踊らせるのです。自由に繰り出し，繰り引くと言うより，遊泳させるのです。自分の体も同じく遊泳させるのです。足も軽く飛び遊ぶよう心掛けることです。

敵に棒を挨ね上げられたり，剣を受ける場合でも，受けると言うよりふれ流す，そうしながら虚実に付入り，敵の出鼻をはねる，と言うような，パワーなき霞の如き棒体一如の夢幻の妙実の会得に，一貫してもらいたいものです。

槍術　薙刀術　杖術

慶長　穴沢流　薙刀　穴沢主殿助守秀　摂津
慶長　九鬼神流　棒術　大国鬼平重信　但馬
天正　宝蔵院流　槍術　宝蔵院胤栄　大和
天正　大滝流　槍術　大滝一郎右衛門　陸中
慶長　藪馬入流　薙刀　藪馬行海真入　藝州
慶長　無辺流　槍術　大内無辺　薩州
天正　富田流　槍術　富田牛生　加賀
天正　打身流　槍術　打身佐内　江戸
慶長　本間流　槍術　本間勘解由左衛門　越中
天正　本心鏡智流　槍術　梅田杢之丞治忠　加賀
慶長　貞人流　槍術　貞人扱十郎左衛門　広島
天正　中村流　槍術　中村市右衛門尚政　筑前
慶長　建孝流　槍術　伊東紀伊守佐忠　信濃
天正　船律流　槍術　船律八郎兵衛　[illegible]
天正　木下流　槍術　木下淡路守利当　摂津
天正　淡輪流　槍術　宝蔵院海覚坊　大和
天文　四条流　槍術　三宅美作　高岡　美濃
元禄　虎尾流　槍術　虎尾紋右衛門　三州　越中
承応　自得流　槍術　土岐山城守頼行　安藝
平治　静流　薙刀　山崎閑斎　尾張
安元　玄心影流　薙刀　小田一風斎藤原彦徳　信濃
天正　巴流　薙刀　多田冠者源満秀　駿河
平治　伊賀一心流　薙刀　宇式部亟藤行　近江
承平　霞流　薙刀　諏訪左衛門源重頼　美濃
天文　天心流　薙刀　佐々木源太夫直要　紀州
寛永　種田流　槍術　種田市右衛門　伊賀
元和　疋田流　剣槍術　疋田文五郎　下野
元和　戸田流　薙刀　岩間左橋正承　山野
寛永　柳剛流　薙刀　岡田総右衛門奇良　陸前
寛永　大島流　槍術　大島半六吉綱　和歌山
元和　神流　鍵鎗術　山田真龍軒　肥前
寛永　樫原流　槍術　樫原五郎左衛門俊重　江戸
寛永　京僧流　槍術　京僧安太郎　江戸
天正　根岸流　手裏剣　根岸左京馬氏　甲州
慶長　白井流　手裏剣　白井観三郎氏恒　河内

慶長　神道夢想流　杖術　夢想権之助　筑前
文明　清流　薙刀　望月相模守遊堅　近江
応永　中条流　薙刀　中条兵庫助長秀　相模
正應　神蔭流　槍術　稲葉冠者昌乃　岩見
正長　玉流　薙刀　木下七郎兵衛家利　播磨
文禄　無辺流　槍術　山本無辺有宗久　薩州
天正　中根流　槍術　中根一雲　加賀
天正　佐分利流　槍術　佐分利猪之助重隆　越前
元亀　樫原流　槍術　樫原五郎左衛門俊重　近江
天正　神明流　薙刀　宇野摂津守　摂津
慶長　本心鏡智流　槍術　亀井新十郎　[illegible]
慶長　下石流　槍術　下石平右衛門三正　上野
天正　大島流　槍術　大島半六吉綱　紀州
天正　一百流　槍術　松本理左衛門利直　駿河
天正　礒槌流　槍術　石野傳一氏利　越前
天文　三位倍流　槍術　久我太郎源堯直　山城
天文　八条流　槍術　八条保亮　江戸
天正　一旨流　槍術　松本理左衛門利直　尾州
天正　宝蔵院高田派　槍術　高田又兵衛吉次　近江
正治　先意流　薙刀　信田一円斎重次　駿府
文治　月山流　薙刀　工藤十兵衛行廣　[illegible]
平治　数学一流　薙刀　九郎判官源義経　[illegible]
平治　神傳八門流　薙刀　平内左衛門尉保長　三浦
永禄　伯耆古流　薙刀　伴伯耆守資継　伯耆
天正　直新流　薙刀　高松左衛門督　伊勢
元禄　本心鏡智流　槍術　東梅龍軒一中　若狭
寛永　正木流　薙刀　正木弾之進俊光　上野
寛永　留多流　薙刀　井十郎衛門　盤城
寛永　常山一刀流　薙刀　水戸文斉照　水戸
寛永　無辺流　槍術　桃井八郎左衛門直由　江戸
寛永　宝蔵院流　槍術　薙律叶日覚　大和
寛永　種田流　槍術　種田平間正幸　伊賀
寛文　新天流　槍術　上遠野伊豆守　江戸
天正　神道流　鉄扇術　齋藤蒸久秀俊　大和

高松先生記による流派名とその時代

九鬼神流棒術の歴史

延元元年，足利尊氏公のために後醍醐天皇が花山院に幽閉されている際，楠正成を始め南朝の忠臣達が何とかして天皇をお救い申し上げなければと思案している際，紀州の行者の一人，薬師丸蔵人もその席に坐しておりました。そこで，忍びの法を会得している蔵人が武勇にもすぐれておると言うことで，この大任を命ぜられました。

その時，蔵人は16歳の美少年であり，蔵人は御殿女中に変装して花山院に忍び込み，天皇を背負い奉り脱出せんと廊下伝いに忍び足，しかし運悪しく雑兵共に発見されてしまいました。

薙刀

薙刀の先が切り落とされる

気合と共に天皇を背負うままに門前まで飛び下りるが，四方より侍大将始め，武勇の者に囲まれてしまいました。蔵人は木陰に天皇を背よりおおろしするなり，薙刀片手に，大将は誰かと切り込んでいき，雑兵草行くごとく，蔵人行けば倒れ伏していきました。

がしかし，大将はさるもの，蔵人薙刀荒波の切先を逆に斬り飛ばしました。「したり」と蔵人は戸隠流棒術逆九字の形にて奮戦，大将を打ち倒すところに楠正成の軍勢が駆けつけ，天皇をお救い申し上げたとのことであります。

六尺棒青眼不動の構えに一転する

多敵の位として陽を背に，水辺にありて棒は水車の如く右手八字振り風を起こし，敵の眼心体を捕り吹き倒し，吹き消えて去る

棒術の伝書

大平心働流棒術

①

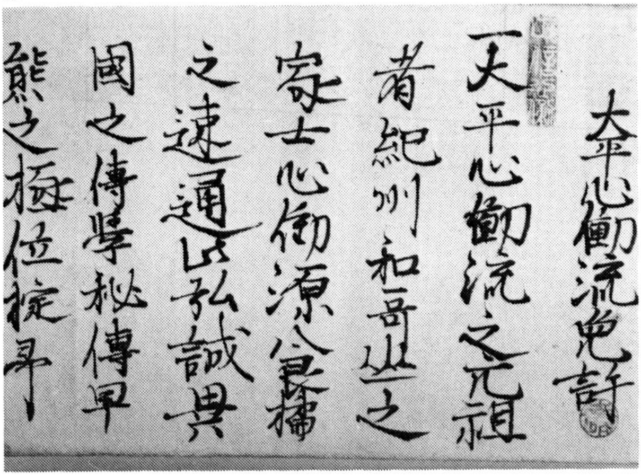

②

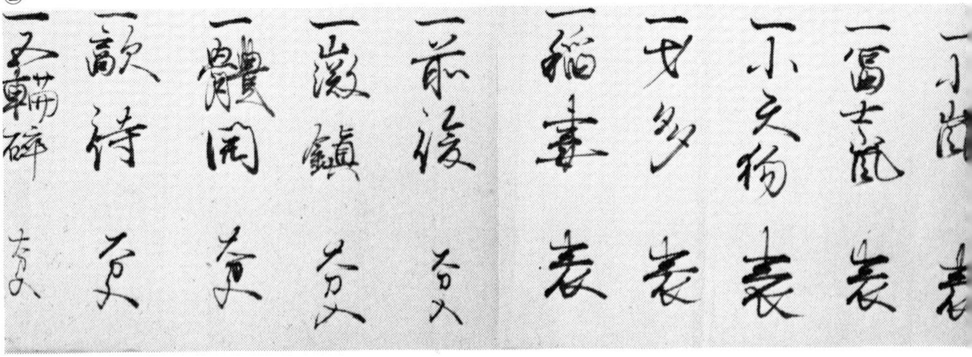

③

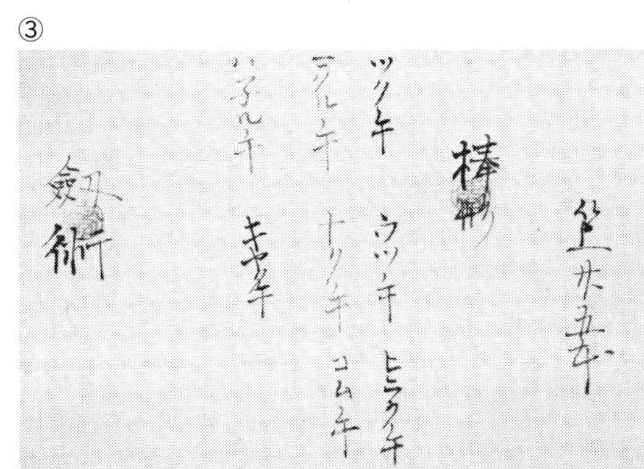

④

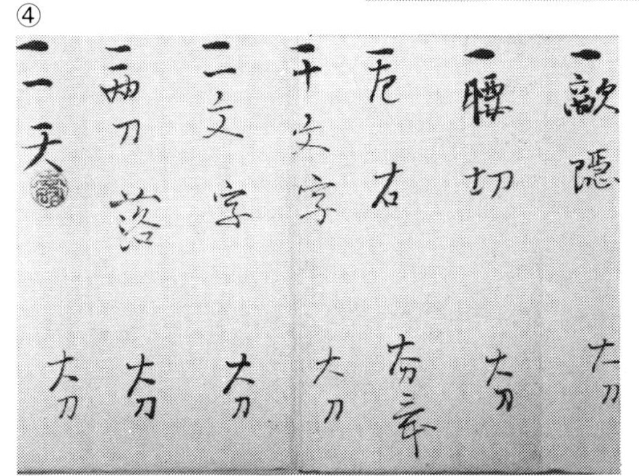

鹿島流棒術

一小薙手　仝
一十文字　仝
一八放　仝
一八雙　仝
一實見　仝
一居合留　仝
一立合留　仝
一鎗請上中下　仝
合四拾五本

右鹿嶋大明神夢想之棒者無始無終故於及極意以誓手而是也是則夢想所得理也是以今撰四拾八箇而悉授与於汝者矣蓋向敵則無上無生之理也凡事有二三則是何物也理之所作及心不一致故也或向敵人太刀而敬ゟ或見敵人氣衆色而畏之故陥於轉化喪理平生之習熟不出唯從死可畏皆畏死故救此癖也蓋萬物皆有始終也有本末也不知之生始本也其死終末也自天地之

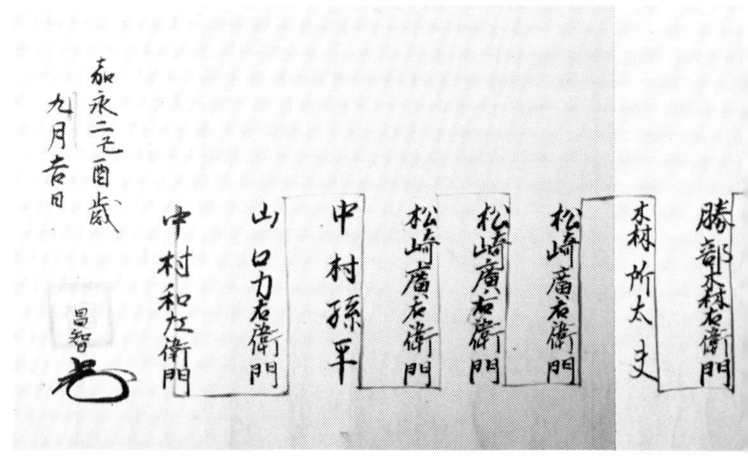
勝部木林右衛門
木林忻太夫
松崎廣右衛門
松崎廣右衛門
松崎廣右衛門
中村孫平
山口力右衛門
中村和左衛門

嘉永二己酉歳
九月吉日
昌智

鹿嶋流棒目録

一 初終　口傳
一 燗手　仝
一 両釵　仝
一 音止　仝
一 極意　仝

右表

一 裏五本　右表々同
一 割弐拾本　表裏四十本究

中極意

一 表静眼　口傳
一 裡静眼　仝
一 獨鈷　仝
一 壽輪剣　仝
一 込手　仝

變化運動及三草〻一本無〻不有始終本末
之理也況於人倫乎然則死之道豈獨
表之哉然〻無〻文對敵〻則理与所作及
心果一致也是謂無二無三也唯捨也可
勝也一厭死必可償也古人曰死生有命不
力豈能換之矣可死則死可生則生是曾
士之道也然則假令臨危雖死当乎即儀
佳名永千萬也如何憂死乎寒〻然龍鞘
工夫平生可提持之如此己心静則敵ノ虚
自見不失其虚而擊之可勝也孫子
善戦者立於不敗之地不失敵之敗也迷
不迷唯一心也丁寧反復可得此理也然
則臨危平常之習熟全出決然可勝
也勿敢疑之爾仍目録如件

鹿嶋太明神夢想之傳授

山崎外記

濱田源小左衛門

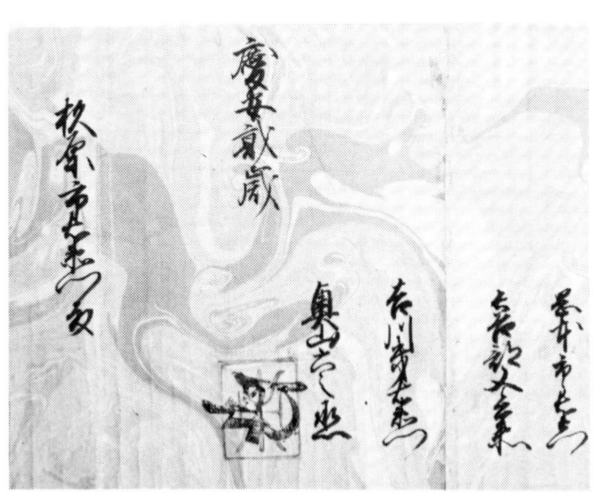

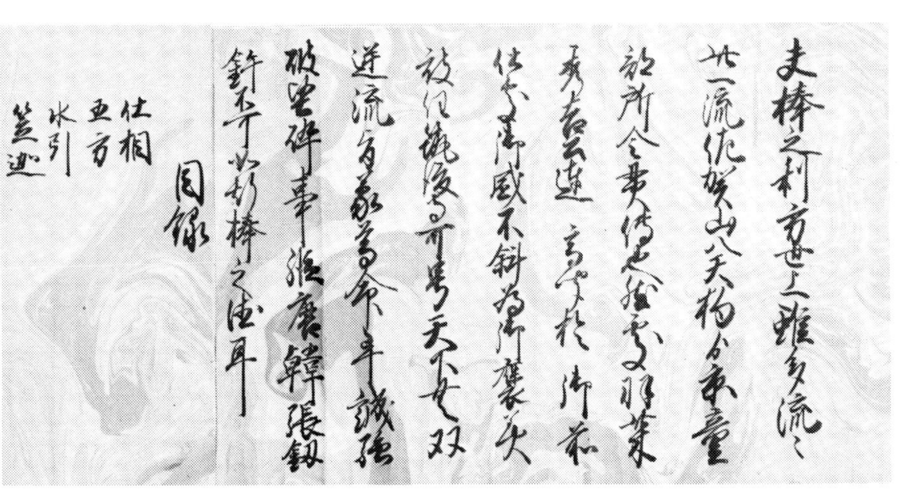

関口流棒術（秘伝書より）

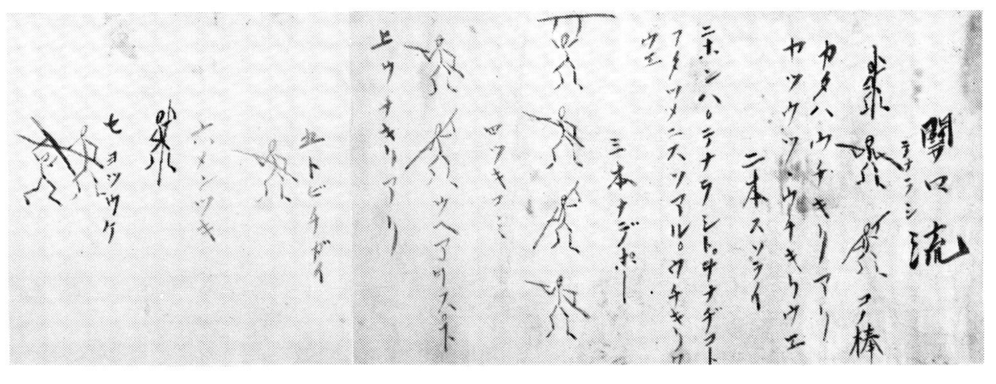

東軍棒一流棒術

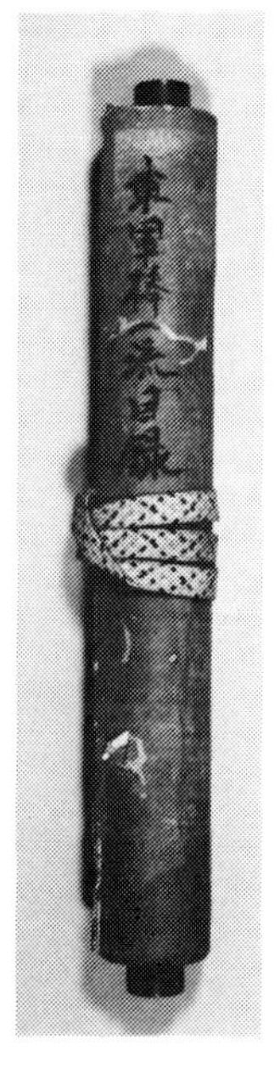

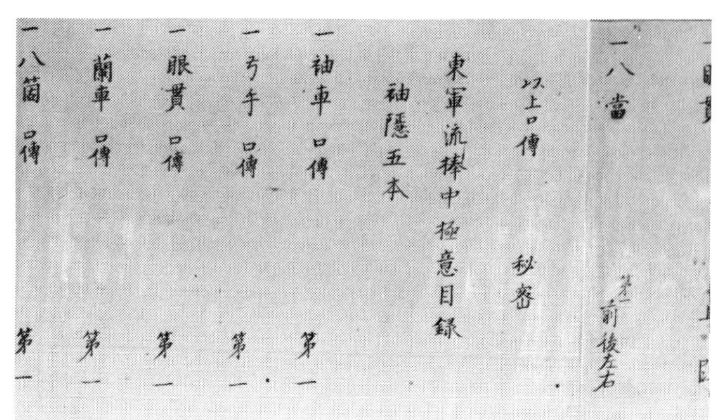

一 八當 第一 前後左右

以上口傳 秘密

東軍流棒中極意目録

袖隠五本

一 袖車 口傳 第一

一 弓手 口傳 第一

一 眼貫 口傳 第一

一 蘭車 口傳 第一

一 八箇 口傳 第一

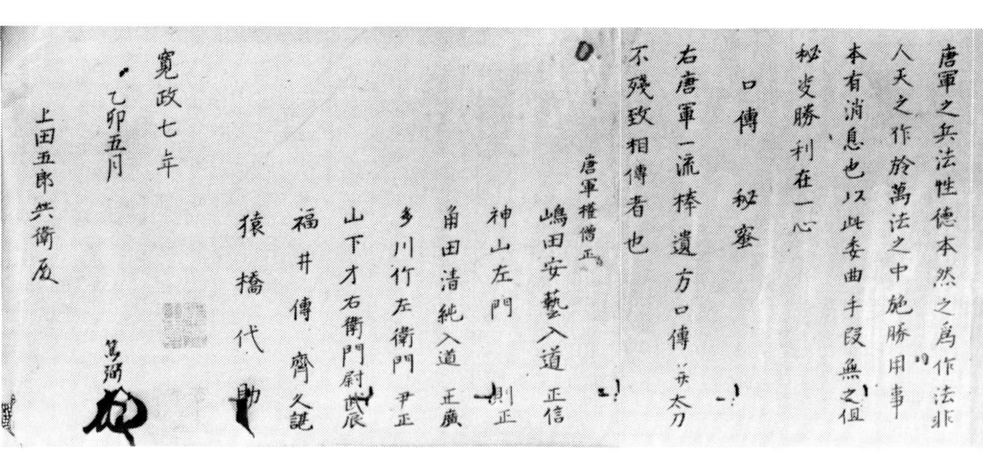

唐軍之兵法性徳本然之爲作法非
人天之作於萬法之中施勝用事
本有消息也以此委曲手段無之但
秘支勝利在一心

口傳 秘密

右唐軍一流棒遺方口傳并太刀
不残致相傳者也

唐軍権傳正
嶋田安藝入道 正信
神山左門 則正
角田清純入道 正廣
多川竹左衛門 尹正
山下才右衛門尉 武辰
福井傳 齊久誕
猿橋代助

寛政七年
乙卯五月 篤弼

上田五郎兵衛殿

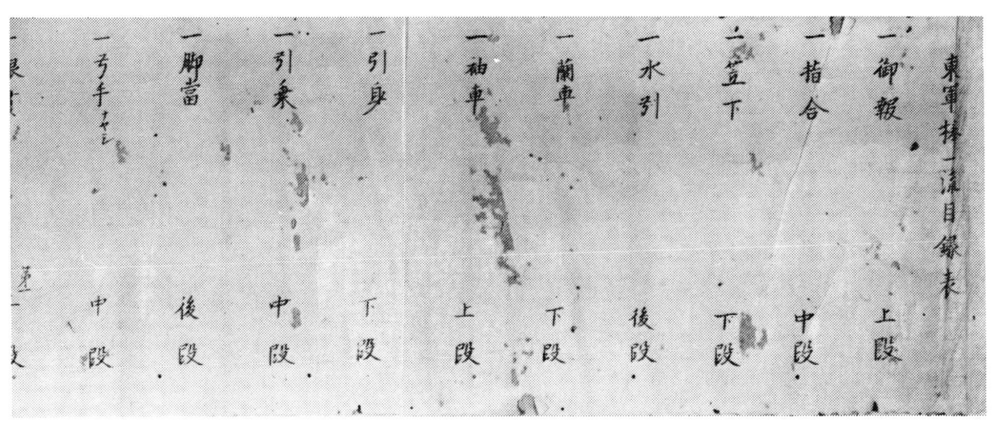

東軍棒一流目録表
一 御報 上段
一 指合 中段
一 笠下 下段
一 水引 後段
一 蘭車 下段
一 袖車 上段
一 引身 下段
一 引乗 中段
一 脚當 後段
一 弓手ナヤミ 中段

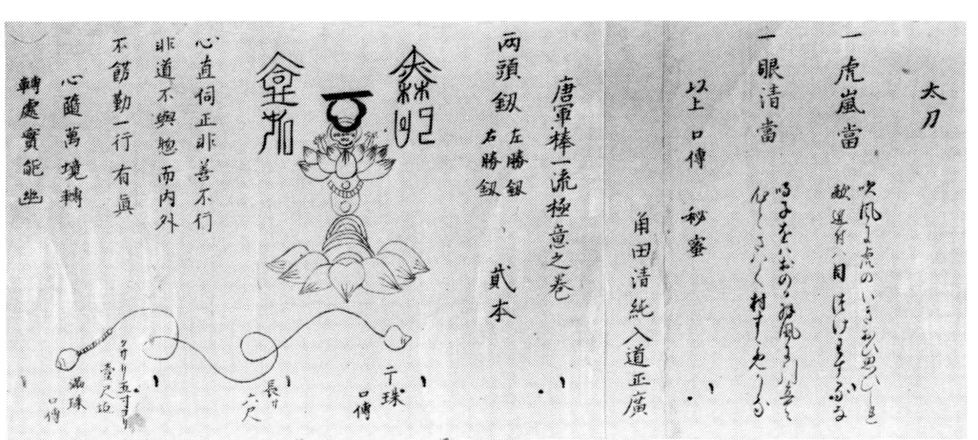

太刀
一 虎嵐當
一 眼清當
以上口傳 秘蜜
角田清紀入道正廣

唐軍棒一流極意之巻
両頭釼 左勝釼 右勝釼 貮本

心直伺正非善不行
非道不與惣而内外
不錯勤一行有眞
心随萬境轉
轉處實能幽

唐の国はもとより，我が国にても棒術と言うものは最古のものなりということを，伝書ににおわしている。

夢想天流棒術

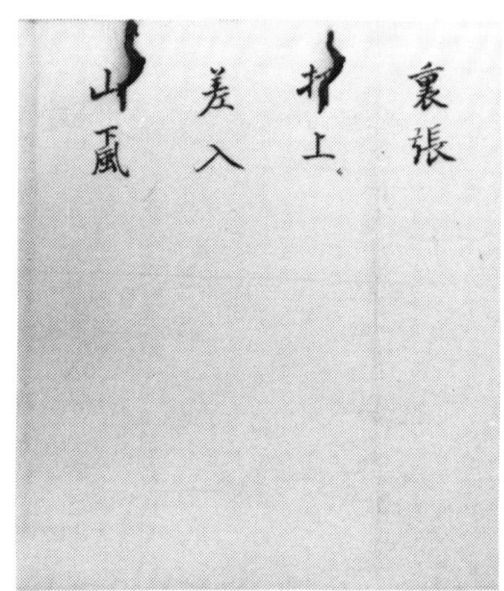

裏張
打上、
差入
山颪

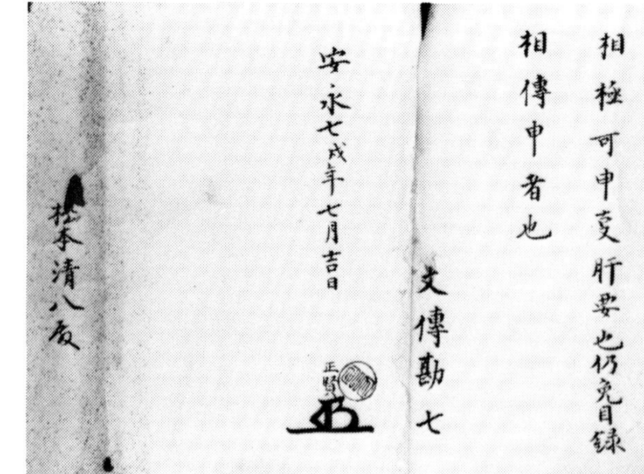

相極可申事肝要也仍免目録
相傳申者也
文傳勘七
安永七戌年七月吉日
松本清八殿

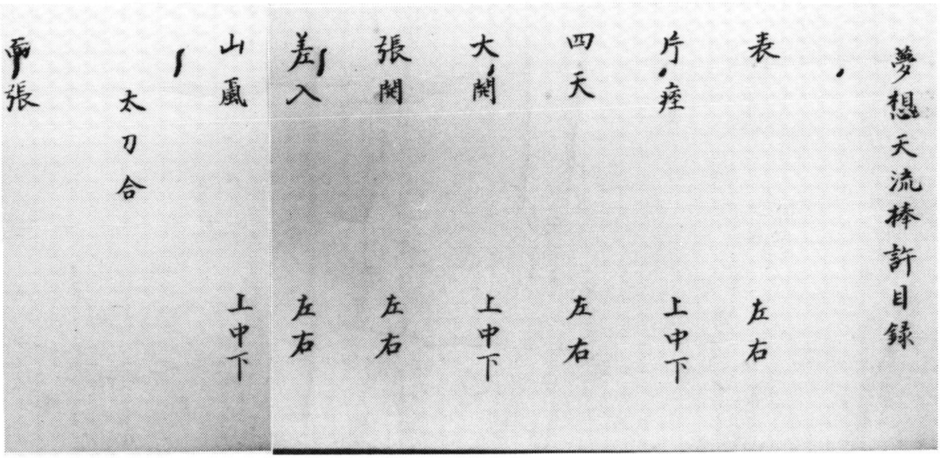

夢想天流棒許目録

表　左右

片〻疰　上中下

四天　左右

大〻閊　上中下

張閊　左右

差〻入　左右

山颪　上中下

〻　太刀合

両張

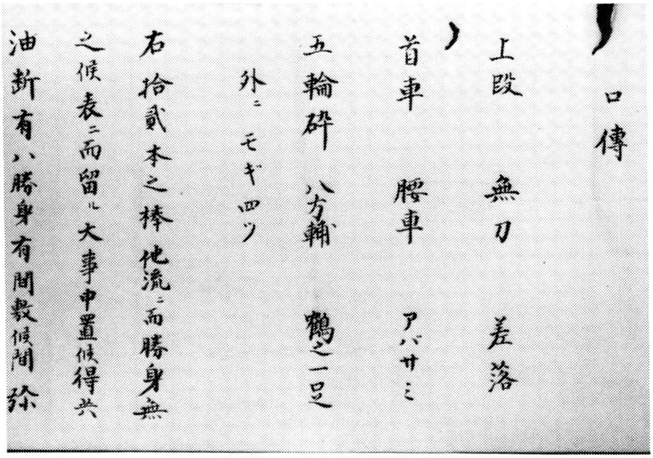

口傳

上段　無刀　差落

首車　腰車　アバサミ

五輪砕　八方輔　鶴之一足

外ニ　モギ四ツ

右拾弐本之棒他流ニ而勝身無之候表ニ而留ル大事中置候得共油断有ハ勝身有間敷候間弥

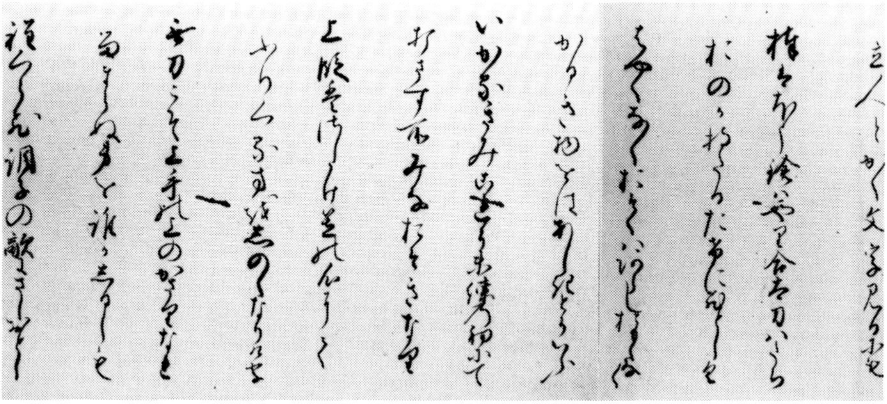

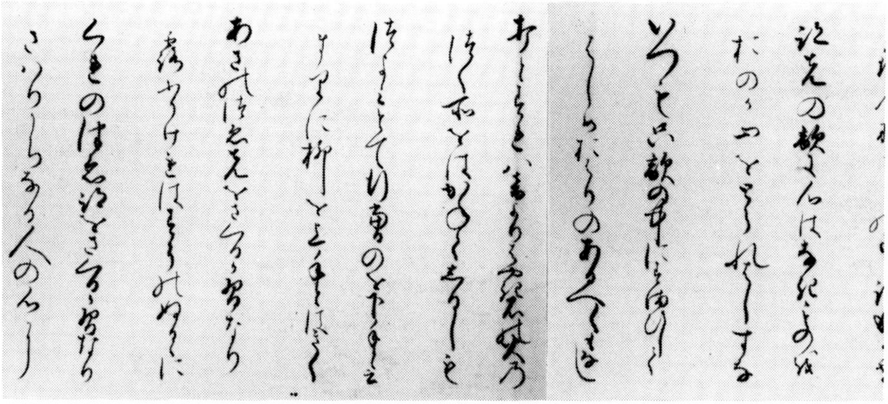

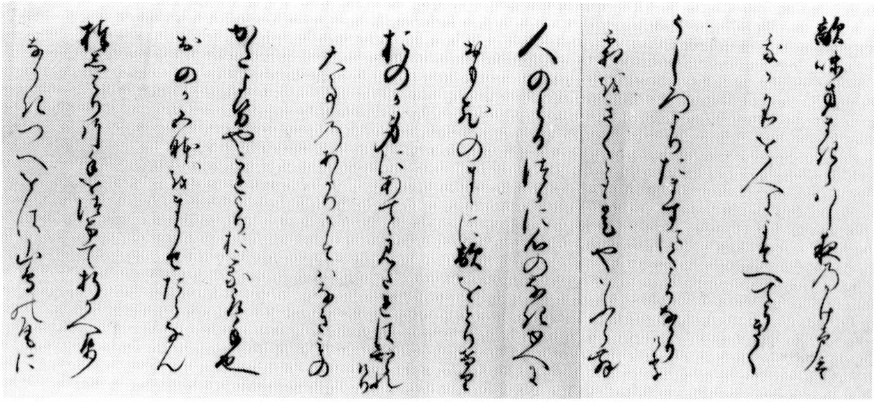

夢想天流棒

和歌

合六十首

安永七戊戌年七月

強波流棒心傳五箇條

一棒之發所能可知事
一業之先可知事
一勝負遠近之事
一有請氣必負事
一敵有可殘勝事

棒表目録

一車輪　雄
一亂石　同
一礒衝　同

一雪竜　同
一朝嵐　同

裏義棒

一流下
一松虫
一散花

棒絡重傳 附 丈人之專口傳

逆之棒

一抵棒
一持棒　同
以上
天明七年
未正月吉日
川口友右衛門

強波流棒表巻

序

夫當流棒者強波之於心
爲専誠死生勝負者信實
之司心士常也矣然全
流者與爲義士成不同也
所用謙意而得勝理亦爾
諸流同然矣聊良士之非
好焉全賤者可爲學也雖
然其勝皆奇可爲以於鐺鈒
昧者可不如不用手故一
流勝負善悪於茲傳信仰
不怠百稽古者強波之全
可至而已

棒裏目録

一風車　同
一柳水　同
一洩水　硴
一砕破　同
一亂水　同
一洸　同
一秋風　同
一眼廻　同

一左逆
一右逆
一挟逆
構之事　口傳
扱棒之事　同

秘傳棒

一礒砕　口傳
一挫棒　同
一林橦　同

爲不如半棒矣是亦臨違而可
得勝利者毎不善於長器矣是
以斯備於宇内或旅行昼夜
爲杖而以随身而爲防暴徒之
害器也雖然臨事而其用是
無之時者別之亦口授之以妙術而
可決勝利者是即智變化者
以所爲武備之所要者也故其眼
心正明而日々夜々更無懈怠手
足進退開合動静奇正之術
入身練磨之術順法而働則萬
可被無一失也云爾

正奇之極
右十二ヶ条重合訣
秘歌ニ曰

右詠歌能々可考味也

跋

聖語曰吾一以貫之者宜哉
此語以至盡矣故欲學法
者先一其志一其行而不學
則等不能善其道也言者
志一成者誠之本也志二成者

朝日奈武藝師範
源義親

小杉源一郎殿

荒木流棒術目録巻序

柳棒術之大元鑒者吾神國開闢之始鍛錬太刀等之兵械未有之時者先其地生立在之處之草木之條以用之而悪徒鳥獣等打拂退之為要務者也從尓以來大已貴命武甕槌命經津主命等之健男之太神等討而以而鍛錬棒太刀等工進求而以為軍陣之要器處也蓋亦至洪武備之

棒術半仗目録巻

真身曲

右角曲

左角曲

右牙交足

左牙交足

右陰之廻足

左陰之廻足

右肱之山風

左足之塵

[illegible]

惠之本也亦曰一人行者則得友三人行者則失友也故君子誠之属貴也故欲學此道者專一心之以智力昼夜之稽古無懈怠相勵則勝利無疑者也爾云

于時明治參拾六年

第五月吉辰

荒木夢仁齋源秀綱

十七代之傳孫

棒の種類

（右より）
九尺棒
八尺棒
七尺棒
六尺棒（二本）
鉄輪九つはめた棒（二本）
八角棒
錫棒
鉄棒
九鬼行者棒

▼暗闇を利して飛び交う鎖と分銅に棒術九鬼地獄変を見る。

九鬼行者棒は先端に四本の槍が突き出て，棒中はくりぬかれており，分銅鎖がしこめるようになっている。
棒の一端には九つの鉄輪がはめられ，一つの鉄輪には九本の鋲が出ている。

一刀をからめ捕りつつ，四本槍にて突きもぎり捕る。

鎖分銅をからめ，一刀を引きながら天地を構えつつ相手の甲に落し突きにして，鉄輪にて相手を打ち砕く。

九鬼棒一端にて相手方顔面砕き打ち，反し跳ね上げにて突き入る。

武芸帳かわら版

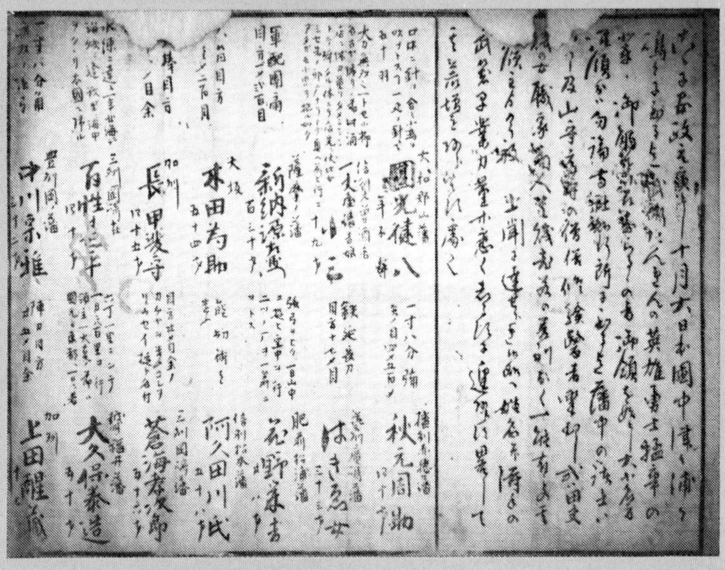

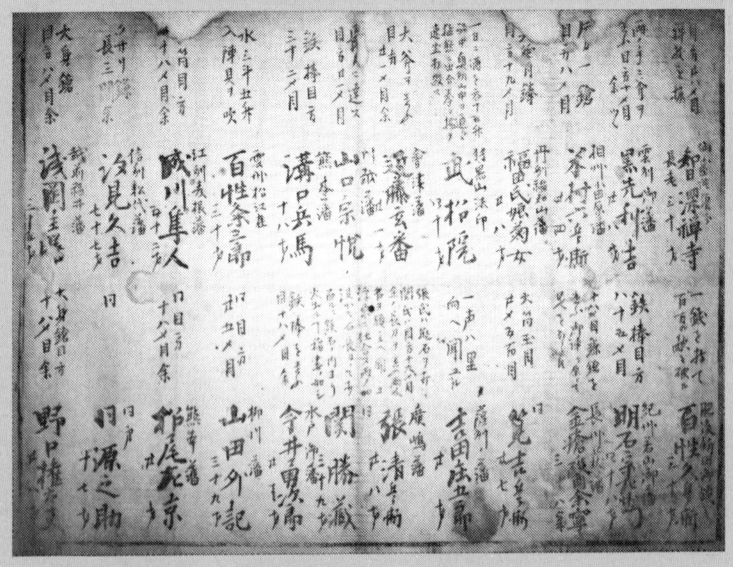

第2章
棒術の実際

1 両胸捕

①

両胸を捕ってくる。

②

右手の棒を相手の左肘横から押すように当てつつ，

③

我が体を左向けにしながら，右足を一歩踏みだしつつ，左手にて棒頭をにぎりつつ相手の左膝又は足払い足折りにいく。

④

そのまま体をまわし落して相手の手を抱えていけば，棒に捕られた手は痛み，抜けず。

⑤

前倒しになった所を両腕捕りにきめる。または棒にてしめ押えと変化する。

2 捕　棒

①構え

②相手は両手にて棒を握りとらんとする。

⑤たまらず仰向けに転倒する。

⑥相手のポイントを棒と体で制つつ，調子を見て，

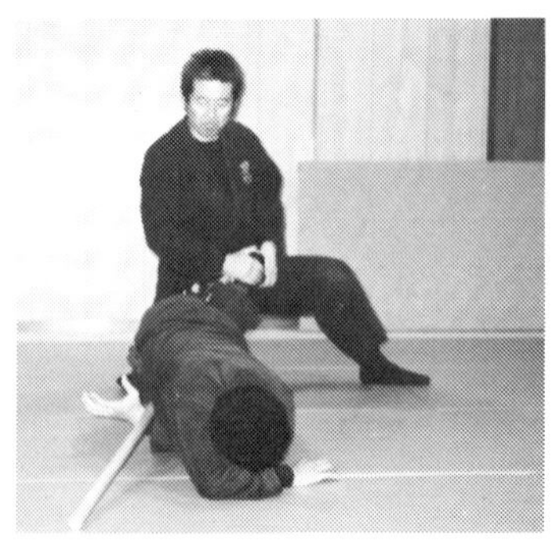

⑨瞬間にして相手の両足両手を締め，しぼり型にきめる。

③相手の力のままにかまわず棒を右手で左右どちらでも棒返し。

④相手の右足裏より返した棒を，左手にて握り右膝折り左大腿折りに体でいく。

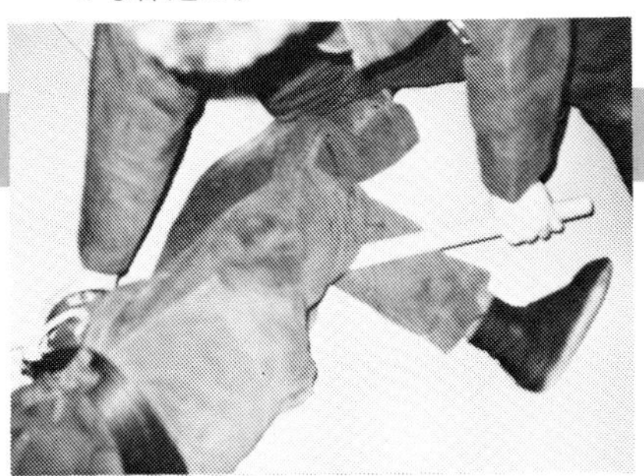

⑦相手の右足を鬼砕きにかけるごとくにして，

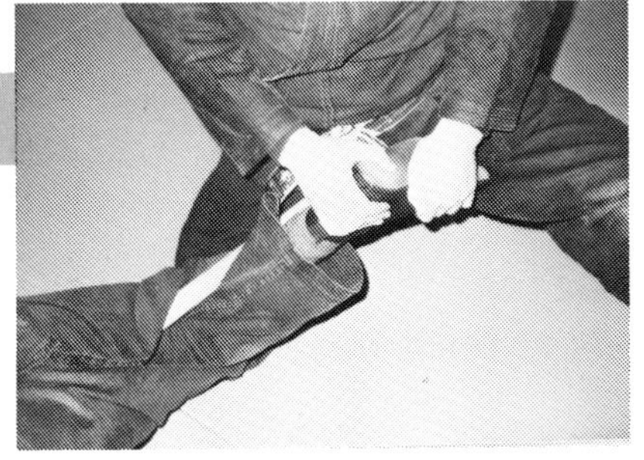

⑧伏向けに倒して，しっかりと棒とともに相手の右足をとる。

3 突きに対する法

①相構え

②右拳にて突いてくる相手を棒でかわすことなく，ちょっと棒を空間に押し出すだけでも相手は一瞬迷う。

⑤前倒れの相手を棒で抑えるか，相手の右手を自由にしつつ我が左足で相手の右足を捕る。

⑥動けば山登（鼻）当てに一寸変化。

③一転我は右下の棒を上に返しつつ，体と共に一転左手にて棒を握りつつ，相手方左面打ちに出る。

④左棒にて体変と共に跳ね当てるごとくして，前に投げ倒す。倒れにくい場合は我が左足にかかる相手の右足を後ろに引けば，軽く前倒れとなる。

⑦我が左膝で相手に体当てし，左手で顔面とりつつ，棒先を頸部に入れ，押さえ込むこと自由なり。

4 蹴りに対する法

①相構え

②相手蹴り来る。右手棒先出すごとくして振体変一如。

⑤相手左拳にて打ちくれば，体変潜型にいきつつ相手の左足に我が右足にて捕り倒すことも可なり。

⑥また相手の右足を棒で痛み捕りにして，右足で左足内側にかけつつ。

③相手迷う。棒先で迷わせつつ相手右足を左手にて，

④抱え足捕りにいく。相手の攻撃を右手棒先にてフォローする。

⑦体の変化で相手を投げ倒す。

⑧足をねじり捕り，自分の右膝で相手方右手折りに捕る。極めて自由変化のこと。

5 二人捕り

①両手を二人に捕られる。

②この際，手先より肘を使うこと。棒を前に返しつつ，左右の相手を捕る。

③左棒先を左側相手の手にかけつつ，前に返し行く右相手，左手逆にとられたまらず。

④前倒し左棒先を体と共に上げ，斜め前に押せば，

⑤二人共に倒れる。

⑥突き払いの残心。

①
相手は両手にて棒の両側を取る。

②
先程の原理と同じだが，片方，例えば左側の相手を腰の力を利用して肘，肩で持ち上げ，両方の相手の力のバランスを崩す。

③
体と棒一閃一転すれば，二人一緒に飛び倒れる。倒れなげれば払い突き打ちと変化。

6 抜　刀

①
相手，抜刀型で来る。

②
相手方右小手を，棒で体と共に当てる。

③
我，入身と同時に相手方柄を左手で捕り，引きながら，

④
相手の左側に廻り込み棒当て。

⑤
ひるむ隙に相手一刀を抜き取る。

⑥
左膝で棒を押さえ相手の体を捕りつつ，自分の右足は蹴込む捕り自由のこと。一刀上段残心。

察光の構え

妙眼の構え

潜り詡変の構え

虎爪の構え

訩変攻勢の構え

受打の構え

虚光の構え

無念の構え

日天

返し波

役の行者

払蹴り風魔の変術

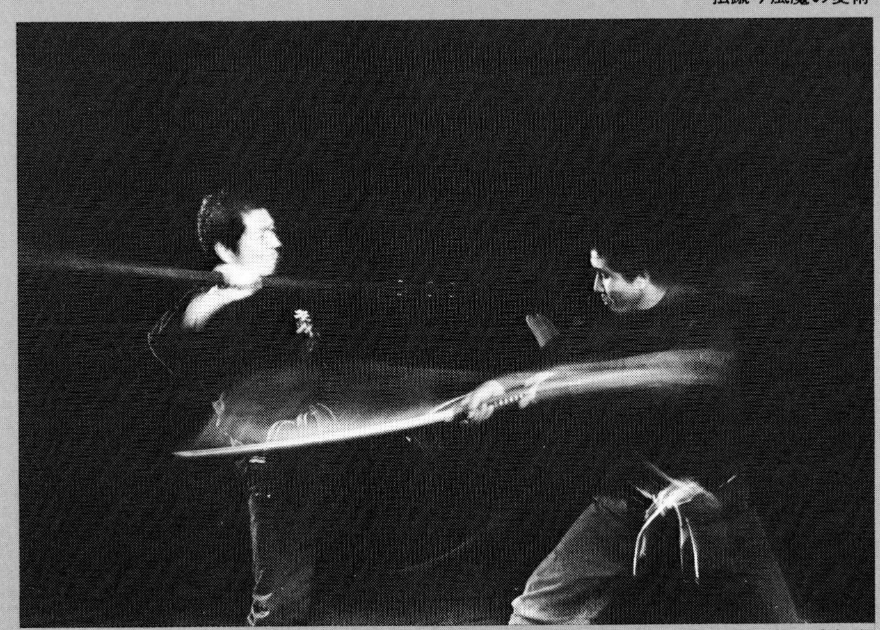

払い空転術

瀧(たき)登り

無明の呪(受)術

横流れ

米国『Fighting Stars』誌で紹介された著者

棒の作法

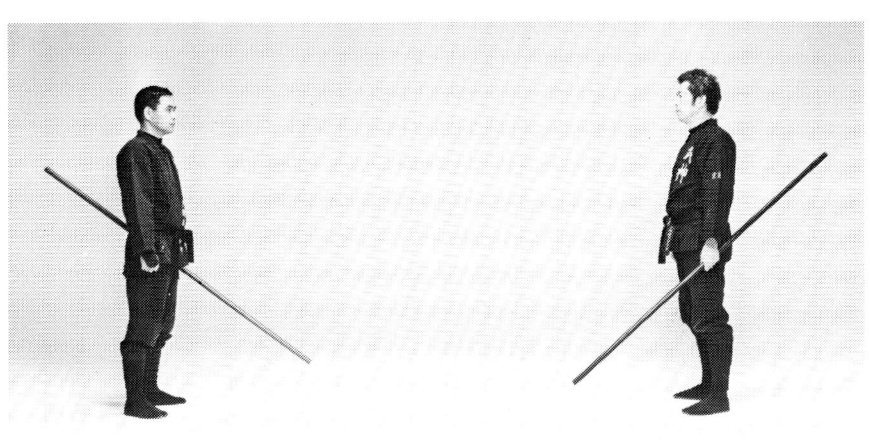

①左手にて棒の真中を持って歩む。

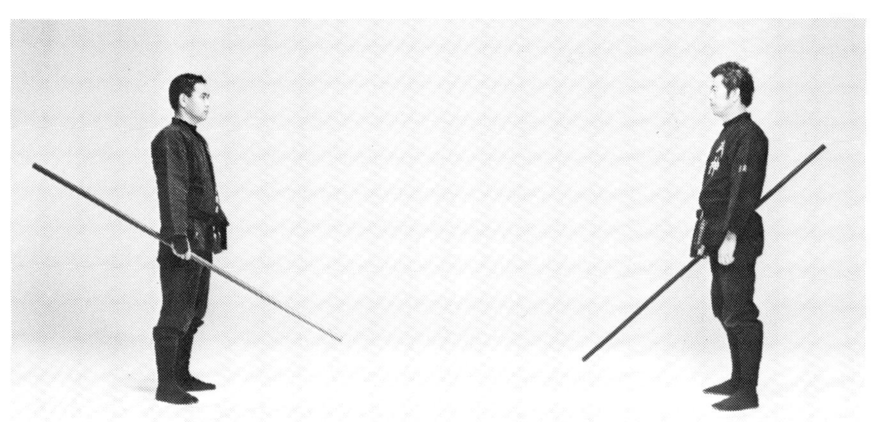

②相手と六尺の間隔で右手に棒を持ち変える。

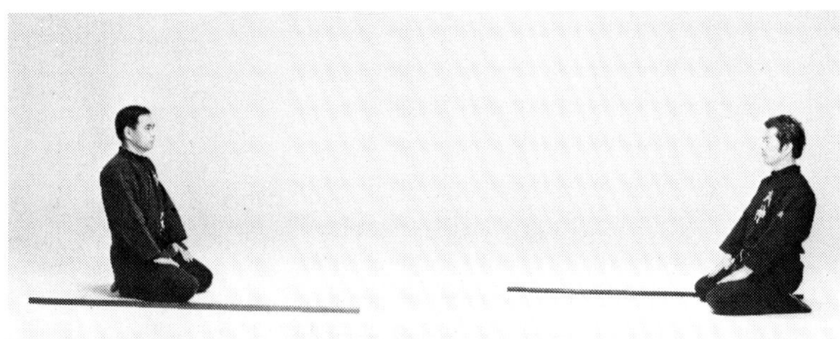

③正座。

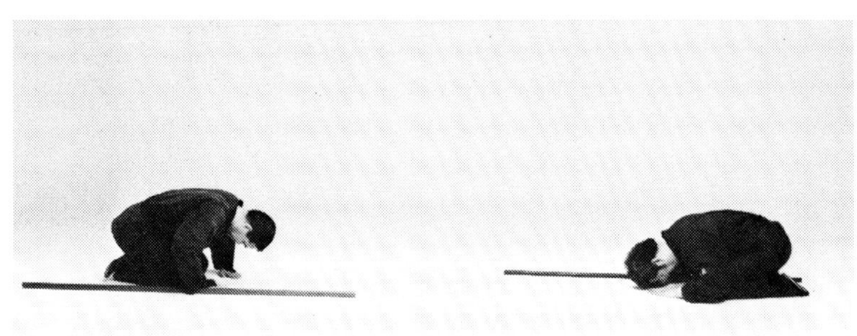

④一礼する。

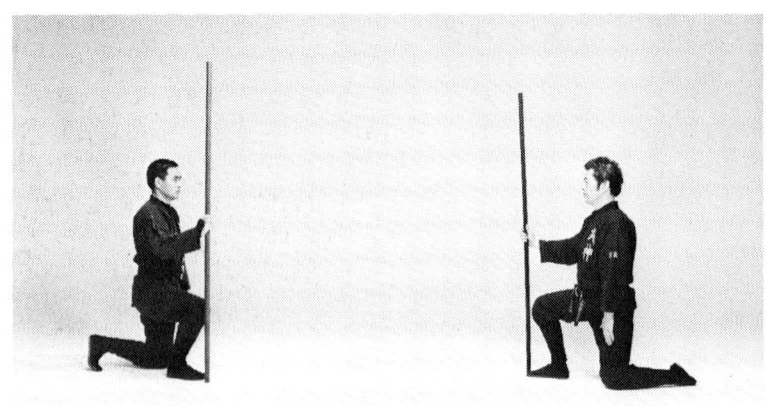

⑤右足を半立ちと同じく棒を真直ぐに立てる。
ここで相方「お手やわらかに」と礼言を述べる。

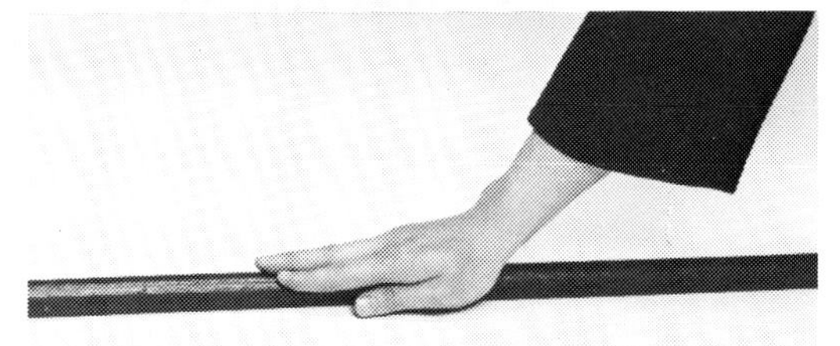

⑥烈しく棒を前方に打ち倒す。

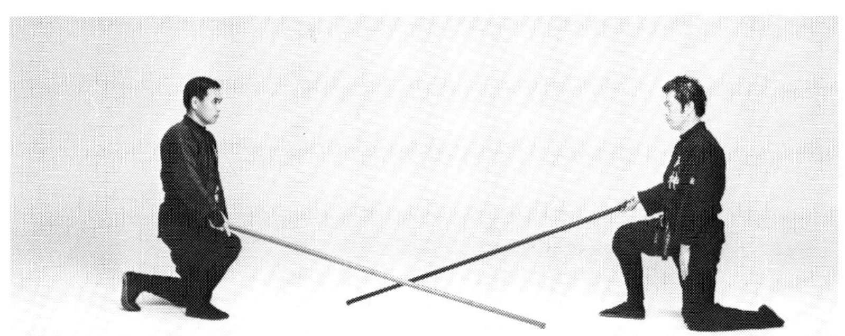

⑦右手にて棒を持ち上げ,

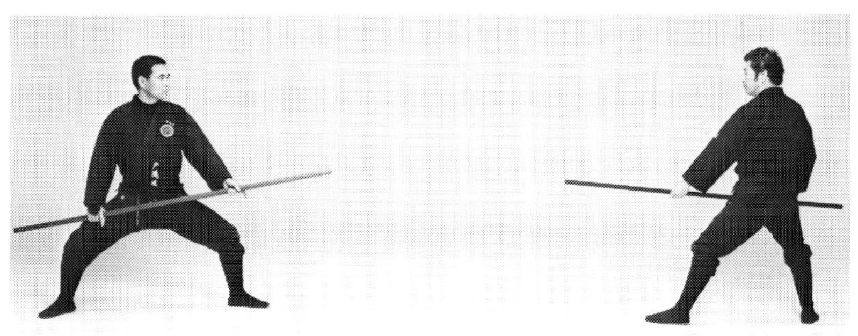

⑧左手を棒にそえて立上がりながら構える。

構　型

● 上段の構え

棒の中真をバランスよく両手の掌を下向けに握る。握り手の間隔は二尺，棒を頭上にもっていく。左足を前に右足は後ろに構えるが，この時左右は自由に変化ができるように軽く床におき，右足に体の重心をのせるようにする。
左の棒先は敵の眼を捕えるよう眼付け，右手は頭上に伸し上げる。

● 中段の構え

棒の中真を両手下向きに握る。握り手の間隔一尺五寸，右足は後方で姿勢を正し，左手を前方に伸ばし右手は自分の右の乳の所へくるように構える。

● 下段の構え

両手を下向きに一尺五寸間隔で棒を握る。右足を後方に重心をかけるようにして，右棒先を地上につけるようにして構える。

● 一文字の構え

体を右に向け，握り手の間隔二尺。顔面は両手に向ける。両足も二尺。握り手と同じということになる。両腕は軽く右側にたれる。

● 平一文字の構え

一文字の構えの要領だが，体棒共に前方にある。

● 詒変の構え

握り手下向き，右足前方，右足後方，右膝を軽く屈曲させる。左手は前方に伸ばし，右手拳は自分の横面に付けるごとくに構える。詒変の構えとは敵を欺き変化するという構え型だから，一定のきまった構え型でなくてもよい。

● 青眼の構え

右足を前方に，左足は後方に位する。両足間一尺五寸。棒の握り手の間隔は一尺五寸位として右手は左方面に向き，左手は右方向掌側に向く。右手共軽屈曲位とし，右手は鼻中線，左手は左側腹部に位置する。

● 天地人の構え

右向きぎみの体構えで，両手共棒の握り手掌側を我が方に向けて，右手は我が右頬の辺に。左手は右側胸部辺に位し棒の握り間隔は一尺二寸程度，棒のバランスは上が六，下が四とする。

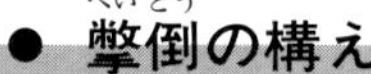

● 撆倒（へいとう）の構え

この構えは払いともいう位なので払うという意をよく味わいつつ構える。左足を一歩前にして，右足は後方に位する。間隔は一尺二寸位。棒を握る両手の間隔は二尺程度とし，右手を我が後方にいく如く引き構える。この位より自分から打ち込むことは不利であるが，敵が来れば我れに勝ある構えである。

起本型

Ⓐは自分，Ⓑは相手とする。それぞれ63ページの『棒の作法』より始める。

● 受身型

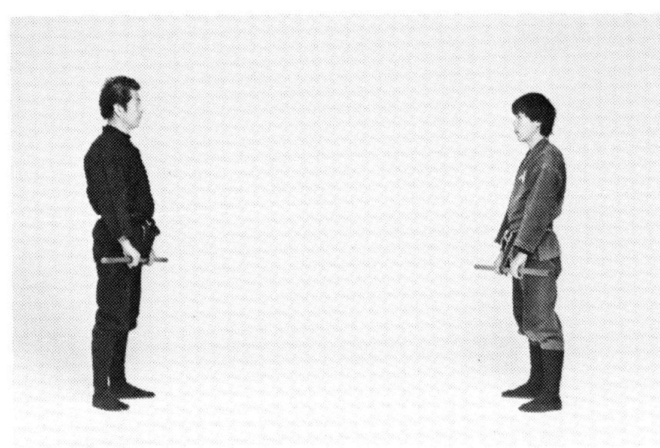

①Ⓐ，Ⓑ共に平一文字の構えとする。

A

②Ⓑは右足一歩前進と同時に右棒先をⒶの頭上めがけて体変。

B

打ち込みつつも天地打ちの構えの移動型。

C

Ⓐ相手に頭を打たせたという錯覚を起こさせる近距離にまで棒よせする。

A

③Ⓐは右の足を右後方へ一歩退きながら，右手掌部で棒をはさむようにして前頭部上に，左手は左前方上に差し上げるごとくする。
この際右前腕よりひじにかけて棒を支えるようにする。Ⓑの棒が棒にそって流れ落ちる。

B

型は上段受けの構え。

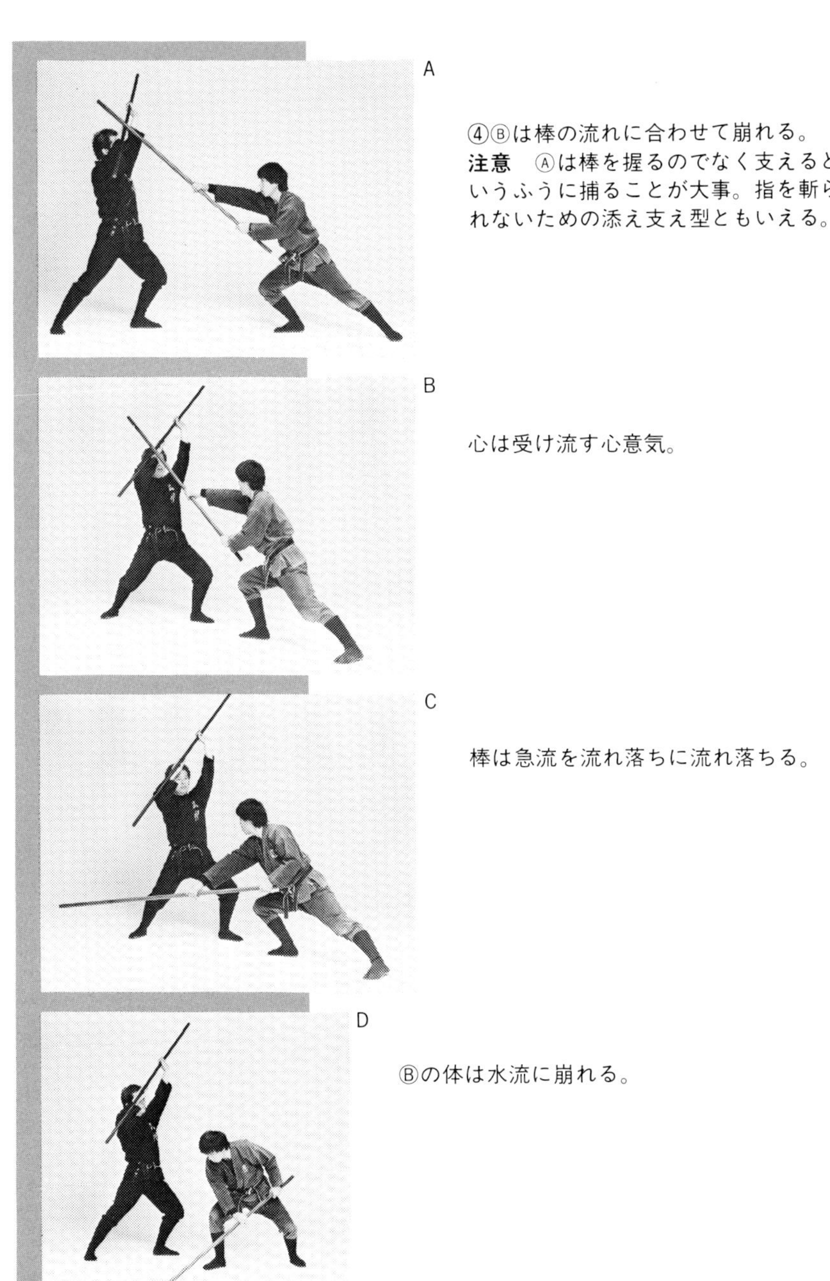

A

④Ⓑは棒の流れに合わせて崩れる。
注意　Ⓐは棒を握るのでなく支えるというふうに捕ることが大事。指を斬られないための添え支え型ともいえる。

B

心は受け流す心意気。

C

棒は急流を流れ落ちに流れ落ちる。

D

Ⓑの体は水流に崩れる。

●足　　払

①Ⓐ，Ⓑ共に平一文字の構え。

②Ⓐ右足一歩前進しながらⒷの左足を払いに出る。
Ⓑは左足一歩後方にⒶの棒足払いを避けながら我が右棒先をⒶ棒先に当てる。

A

③Ⓐは左手棒握手をはなしながら，左棒先を半転。

B

Ⓑも同じく左手棒はなし半転。

④Ⓐ Ⓑ，棒体合到す。

⑤Ⓐの右手握手を我が左肩の方向にはね上げるようにして棒を放ちながら，（Ⓑも同じく）

⑥Ⓐ，Ⓑ共に左握手返しながらそる棒を右手にて握りながらⒷの右足を払いに出る。Ⓑは同じく払いを受ける。体でこれを止める。

● 四方棒振型

①一文字の構えのごとく構える。ただしこの時，左手掌は上向きに握り，右手掌は下向けに握る。

②右手握り棒下に押し放す。

③左手掌下向きにかえる。

④右手掌下向けで棒を握る。

⑤左手握り手上に棒を放り上げる。

A

⑥右手棒の握り手半転させながら我が左体の方に右手握る棒を持ってくる。

B

棒廻しの手は手鞠をつくごとく無心なる子のごとくという。

⑦左手にて棒を握る。これは風を握り包むごとく，

⑧棒体の左に一文字の棒構えとなる。体は螺旋の自然美にもとづき変化していく。

⑨左手握り，棒下に押し放す。押し放すとは風を送るごとく，

⑩右手掌下向きにかえる。足は踊る。

⑪左手掌下向けに棒を握る。これは左手にて棒の変化の舵(かじ)とりという。

⑫右手握り手を上に，棒を放り上げる。鞠をはね遊ぶごとし。

⑬左手棒握り手半転させながら，我が右体の方に左手握る棒を持ち下り，

⑭右手にて棒を握り，鞠は握れば止どまるなり。

⑮横一文字の構えにかえる。この棒振り四方八方天地風車のごとく体の変化と回す訓練をすること。

⑯風車。風は気流なり。風は相手の気によりて起こるものなり。気に応じ風は棒に語る。語るか語るにしかずか？

● 面打払い型

①Ⓐ，Ⓑ共に右一文字の構え。左手掌は上向き，右手掌は下向きにして棒を握ることもある。

②Ⓐ，Ⓑ共に左手棒を上方に放りはなち，

③体変しながらⒷの左足払いにいく。Ⓐ，Ⓑの棒を合わせる。

④その体のままⒷの左頭頂面を打つ。Ⓐ，Ⓑの棒を合わせる。

⑤Ⓐ，Ⓑ共，左体側に棒をすべらせ一文字の構えとする。

⑥Ⓐ，Ⓑ共一歩前進しながら右胴払いにいく。前進足というのがあり，左足前進，右足一歩後退というふみあしがある。

A

⑦Ⓐ，Ⓑ共右手棒上に放りはなち半転させながら，Ⓐ，Ⓑ共右足払いに行き，

B

⑧Ⓐ，Ⓑ共右手棒下に押し放ち，半転させながら，

⑨左手棒を握り，横一文字の構え。

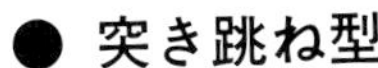

● 突き跳ね型

①青眼に構える。

②体よりの突き入り，そして棒先体左前方に相手上体を崩すごとくして，

③右足一歩前進しながら，右手方棒先にて我が右横に円を描くごとくして，相手下段に打ち込む。下段とは金的を中心とする。

④下段かわされればそのまま相手方の前腕をはね上げる。右足引き青眼に構え左右のこと。

突き跳ね型は以上練習を重ね，次に体の潜(もぐ)り型，棒さばき跳(は)ね型を練習する。

⑤④より右に棒を捌(さば)いて相手を横倒しに飛ばす。

⑥これは体の振りと共に練習すること。小手先の棒術では技に生命はない。相手を倒れるのを体変と共に残心の構え。

⑦②より左膝を落としつつ相手方の朝霞（アゴ）をはね上げる。

⑧次に左足を立てながら棒先を引き落とすようにして，相手方天頭当て引き押さえ。棒左右振り自由のこと。

稽古捌型

● 五　　法

①体左右，棒振り風車型，構無し。

②同側面。

A

③風車。右体の風車棒右足一歩踏み込む如く，Ⓑの左足払い。左ページ下の写真参照。

B

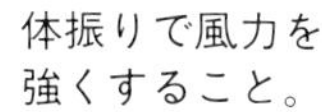

体振りで風力を強くすること。

C

Ⓑは左足を棒を避けるごとくして，安全をはかるため刀でよけている。もののかわす二段がわしという。

④その棒Ⓑの左横面当て。Ⓑの左足をあげる。その体構えは体の振りにより強勢に出る。遁形に出る心得である。

A

⑤体変しつつ，左手棒先Ⓑの右足払い。

B

Ⓐは払いにいくも体は陣構え。攻防自在。

C

睨みぬきといって睨み休みともいう真剣型の妙味である。

⑥右手握り棒を放り上げ，

⑦棒半転空にとりかけながら，

A

⑧Ⓑの右足払いにきめる。

B

棒二段打ち。

C

Ⓑの左足突き，蔭突きの妙。

● 裏五法

裏五法の技は五つのパターンに分類されている。これをよくのみこんでおくこと。

五つのパターンは一つの流れになっている。それは水流的であり気流的であり霞的であり霊的である奇霊なる映像を空間に自分の心に描きながら，〝棒術の極意はこれだな〟と発見できるように，フィーリングを第一に説明した。他の解説にもすべてに言えることです。

①一文字の構え。

棒振りの方法は前々述べてある。そこで①～⑱までは，左右棒振り型で，フィーリング第一に写真から無心の動を会得してほしい。この項は説明無用である。

②

③

⑤

⑥

⑦

⑧山嵐，風は吹き上がる。

⑨

⑩

⑪

⑫

⑬古伝にては突きなるものの三心突きという。気を味る突気味。

⑭引き。

⑮

⑯

⑰

⑱

⑲右足引いて突く。

⑳この突きは顔面でも水月でも胸骨でも上肢下肢どこでもよい。

㉑右足を一歩進め，または左足を引いてもよい。相手の左横面を打つ。

㉒右足を浮かして調子とる。引いても，左足を進めてもよい。

㉓相手の右足をはね上げにいく。握り手を支点として体でとるのですぞ!!

㉔左手の握り手をはなして放り上げるようにして，

㉕左手で棒を握る。両者の空間によく注目して下さい。

㉖力を抜いているようで，お互いに隙はない。体に隙をみせ，心は八相に構えている。

㉗棒に心なく，空間で無気に相手を迷はす。

㉘左横面打ち。一閃。

㉙棒にそって入身，即ち棒を握らず棒にそって敵に近ずくのである。そこで体で横面を強打。

㉚打ち倒し最後まで打ち込みが体で流れ落としていく。

※この裏五法は裏技の心意気を説明したものである。

● 差　合

①中段の構え。

A

②上段の突き。顔面。

B

寸前(すんぜん)変化。咽喉(のど)突きに変化。

③中段の突き。

A

④下段の突き。

B

足捌きによる突気味（つきみ）。

⑤②③④の突きより棒を柔らかく握り，体の調子と共に棒体一如で後方に引く。

A

⑥右足一歩変進しながらⒷの左胴打ち。

B

相手避ければ，片手振りに変化。

C

追い打ちにかける。

⑦体変しながら，棒変に右手を引きつつ，（一刀捕ることもあり）

⑧左棒先体と調子を合わせ，

A

⑨Ⓑの下段跳ね上げ。

この跳ね上げはB下段の急所とは限らず，小手剣でもよろしい。

B

柄打ち。

C

跳ね上げ，押し上げ，
突き上げ，と変化。

⑩中段の構えにかえる。

● 船張り

①下段の構え。

②右手棒先でⒷの左胴打ち。

B

片手打ち。これは返し打ちともいい棒の打った当たりの反動を利用し返し打ちのためのものである。

③または上段。

④下段。

⑤一刀打ちというより，吹き上げといった方がよいだろう。

⑥左足変進し左手握る棒先にて前頭打ち。

⑦左足変転させながら，足が踊り体を振る。

⑧我が右手棒尻にてはね上げる。

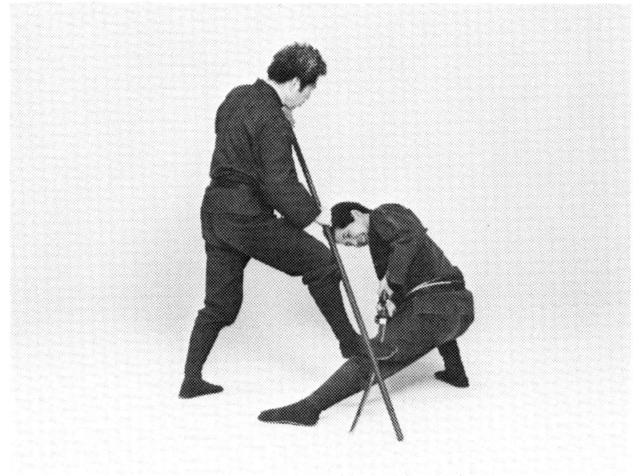

⑨下段でもよい。踏む折りとなる。

⑩小手でもよい。

⑪顎でもよい。

⑫棒を後ろにすべらし下段。

A

⑬変進Ⓑの頭上より棒にて砕き打ち。

B

大波，船張り。

C

小波，船張り。

⑭下段に棒をすべらし構え。

● 鶴の一足(つる ひとあし)

A

①天地人の構え。

B

A

②右足を一歩前進と共にⒷの足甲を打ち込むと共に，地上に棒身をたたきつける。この際Ⓐの左手は棒より放している。潜り型。

B

Ⓑの左足甲に棒を叩きつける。天眼を生かすこと。

③右手の棒は握ったままだと手指を痛めるので，棒に手指を伸ばし押さえの形とする（上の写真のクローズアップ）。

④半座右手棒押さえ型より右手棒を握り引きながら左手棒先を握り，

⑤潜り形より浮体一転，Ⓑの両足をⒶの左側より払い流しながら，

⑥体変しつつ左棒尻を伸ばし，Ⓑの右横面打ち。

A

⑦体変，右棒尻にてⒷの天頭打ち。

B

ⒶはⒶの右拳でⒷの天頭を打ち込む骨法。これは秘伝である。

⑧体そのまま，上下調に変化しつつ体施により，

⑨Ⓑの左横面打ち。

⑩左手握り手棒より放ちながら，

⑪半転，左手棒握り，

A

⑫Ⓑの左足払い。

B

突き込む。棒で突くというより体で押す。体突きのこと。

⑬右足引きながら，天地人に構える。

● 裏一足

①下段の構え。「表裏一体」という言葉があるように“裏”を“り”と読む。

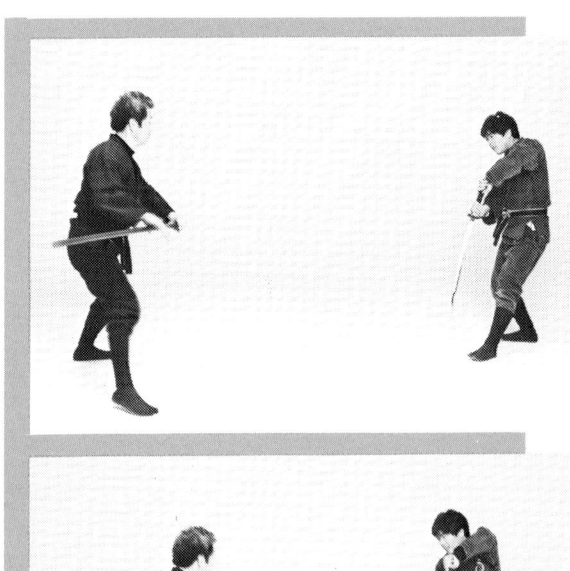

A

②Ⓐは右足一歩前進と共にⒷの左裾払い。

B

相手剣棒調べに押し打ちあり。

③Ⓐは左手を棒からはなしながら，

④地棒（地面に近い棒の平）を我が体の左方に振り，

⑤棒を左手にて，右手下棒を握りながら，

⑥左足一歩前進，Ⓑの右裾払い。

⑦体棒共に後方雲体に構える。

⑧右手に握り棒を上に放り上げ，振りに出て，

⑨面打ち。

⑩右手棒握り，右後方に引きつつ虚。

A

⑪棒を手中にすべらせ下段に構え振り，Ⓑの左裾払い。

B

左裾払い。

C

右手の棒尻を放り放ち
て面。虚。

D

浮体変面。

このＡＢＣＤの動作を何回
も繰り返し練習してほしい。

⑫面にいったところで,

⑬右手棒を引き下段の構えにいくことなく,虚振り。

⑭体棒一如の振り突きの練習。

⑮突き入り込み,左右天地変化。(口伝)

●裾(すそ)落(おとし)

A　B

①中段の構え。

②突き棒。手中泳ぎ棒のこと。

③木刀の力泳に応じ左手上部に放ちながら,

④左手棒を握りつつ，

⑤相手の左胴打ち。

⑥体をひねり返しながら，

⑦体振りしながら相手の天頭ち。我が右足Ⓑの両手蹴り込むことあり。

⑧右手棒を我が右横に返しながら，左手放ちつつ体術下段の構え。

⑨右足一歩前進しつつ左足払い。

● 裏裾落

①中段の構え。

②突き。左手掌で舵とりのこと。

③棒後方に引くようにして右足一歩前進しながら，Ⓑの左裾を払う。

④左手を放ちながら右手棒下方をⒶの左側の方に振子のごとく振り，

⑤棒が振ったら左手を棒の右手の握り上を捕り，Ⓑの右裾ばらい。

⑥Ⓑの裾ばらいはずされれば，相手剣はね上げ，左手変化にそなえて放ち詥変の構え。

⑦左手を放ちながら棒を右の方向に振子運動をさせながら，

⑧右手棒の握り手の上を捕りながら，Ⓑの左または右の裾払い。

⑨また，変化顔面打ち，左足にてⒷの右足を捕り崩し，

A

⑩棒腹にて突き倒し,

B

からめ捕り。

C はからめ倒し。

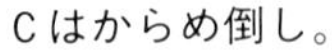

⑪棒右手握り手下を捕り,

⑫右裾払い。

⑬右後方に右手棒を引き上げぎみにして,

⑭右手棒を放り上げ,

⑮面打ちにいく。この際右手の棒を握っている。

⑯そのまま体突きに出る。

● 一本杉

①天地人の構え。

②棒地上にたたきつけるごとくして，敵の足甲を打ちつける（右足一歩前進のこと)。

③この際左手を放ち右手棒体を上より押し打つごとく押さえる。

④右足を一歩引きながら
棒も引くごとく捕り，

⑤左手前方棒頭の方を
握りながら体変。Ⓑ
の左足払い。

⑥Ⓑ前倒しに左棒にて
Ⓑの刀の柄にかけひ
き，または，

⑦左手に持つ棒を引くごとくして放り上げて左胴打ち。

⑧体変しつつⒷ睨み振りに相眼。

⑨左手変化しつつ体動。面押さえ。

⑩Ⓑ斬り込む。Ⓐは天に飛びⒷの天頭打ち。

⑪または両足飛び浮引。この間Ⓑ刀を打ち落とし押さえ捕りもある。

⑫Ⓑがつけ入るところを，一刀押さえ込む。頭打ち。

A

⑬右小手打ち。

B

Ⓐ体，Ⓑ体に入身，Ⓑの左足体にて折り，

C

拳打。⑫よりⒶの右棒というよりⒶの右拳にてⒷの顔面打ち。

⑭小手打ち，変化。

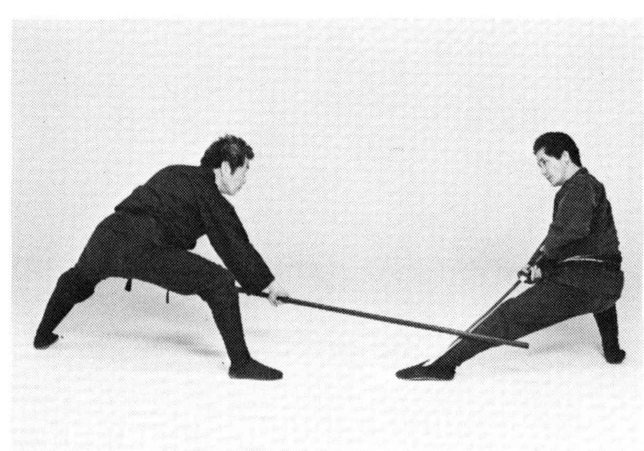

⑮足打ち，変化。閃変万化とす。

● 瀧（たき）落（おとし）

①中段の構え。

②棒突きに出た次の動作に変化できる拍子をとった突きの練習をすること。

③右手放ち。

④Ⓐ体の左体の方に左手にて棒を回転させながら，

⑤回転しつつ左小手返る。

⑥右肩の方に棒を出し，

⑦右手にて棒をとり，
（ここの項は口伝多しと書いておくことにしよう。）

⑧Ⓑの左横面打ち。

⑨右手に棒を握り，
⑩小手を廻しながら，
⑪
⑫左肩に棒を出して，

A

⑬Ⓑの右横を打ち込み，
右手棒返し。

B

ヘイトウ影棒のごとく Ⓑの出かた隙見し。

C

足捌き，体捌き，構えの変化のこと。

D

気を見てⒷの右横打ちのこと。

A ⑬の変化。飛鳥に入り，

B 無刀捕り。

⑭左手棒放つ。これはあまり大きく放たず，体に棒がついているここちで，右の方にはねつけるごとく。

A

⑮Ⓑの左横面を打ち入る。

B

隠し一刀捕り。口伝にあり。

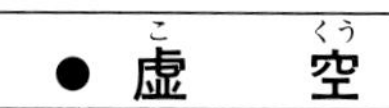

● 虚空

A

①中段の構えより突き出る。

B

Ⓑ右より左にはね上げ,

②打ち込んでくることを誘う。誘技の構え。

③Ⓐは右足を引き左手で棒を高くして，右ひじは曲屈し，前腕部に棒をのせるごとくして受ける。

④左足を大きく引きながら，左手棒先を頭上に右方向にまわし，左手を放ち，

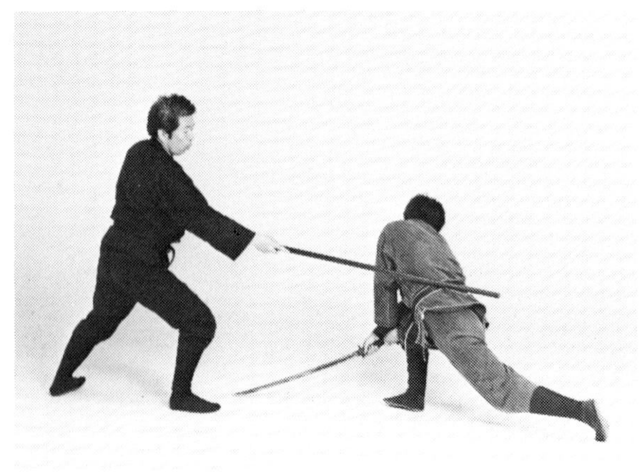

⑤Ⓑの左胴に当て込む。

A

⑥その体のままⒷの左足を払い込む。

B

Ⓑの右足捕り。

C

Ⓑの体と右足がけにいく。

D

Ⓐは左肘でⒷの手を折る。

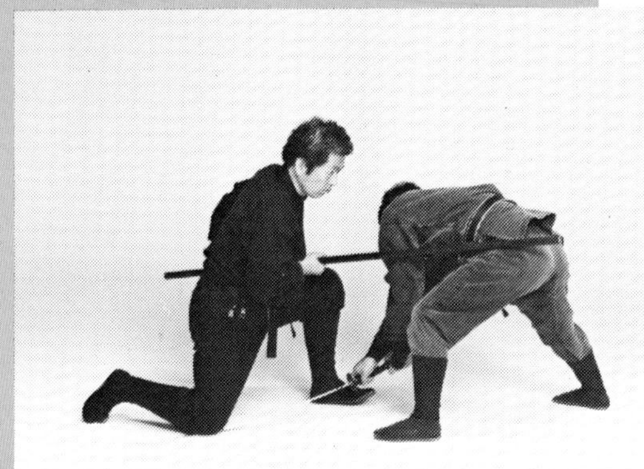

E

ⒶはⒷの一刀を右膝，左足にて捕る。折る。

F

右足にて蹴る。体振り。棒にて飛鳥倒し。口伝。

● 笠の内

①睨見構え。

②右足を一歩引き，青眼に構える。

③青眼。錫杖の音虚。蠍呼音のごとし。

④右手を引くごとくして左手棒先前方へ。

⑤頃よしの左右の手のバランスと調子を計り，

A

⑥相手の左胴打ち。

B

剣の受けはしっかりとした剣を側体に腕を支点とした受け体のこと。

⑦左足を引きつつ体の向きをかえると同行棒も左方向に体と共に浮く。

⑧左足前進右胴打ち。

⑨左手前方を引き上げつつ，
右手頭上に上げるごとく。

⑩体の変化は自然の流れにのり
つつ，右手棒先は半円を描き
つつ地上より，

⑪相手方の下段をはね上げる。

⑫はね上げ当たらざれば，
体落し突きに変化。

⑬または小手を下段をはずしつつ，打ち上げる。

A

⑭またはあごをはね上げる。

B

当らなければ，突き。強突きにあらず，チョン突き。

⑮迷う相手体を相手の手または体に棒をかけ，体の力を利した投げで，

⑯相手を投げ飛ばし倒す。残心。

● 太 刀 落

①一文字の構え。

②Ⓑは太刀で打ち込んでくる。

③左手を折り，右手を高くあげた受身型にいく。

A

④Ⓐは左足を引きながら，

B

剣の流れにさからわず。体変しつつⒷの右小手にかけ，

C

我が右膝にⒷの小手を引き込み，締め砕くこともあり。

A

⑤Ⓑの小手を右手棒方にて小手打ちに太刀を打ち落とす。

B

打ち折る。

A

巻き捕る。

B

巻き上げてか巻き下げ,
どちらでもよい。

C

太刀を飛ばす。巻き捕
り。

D

一刀を飛ばす。

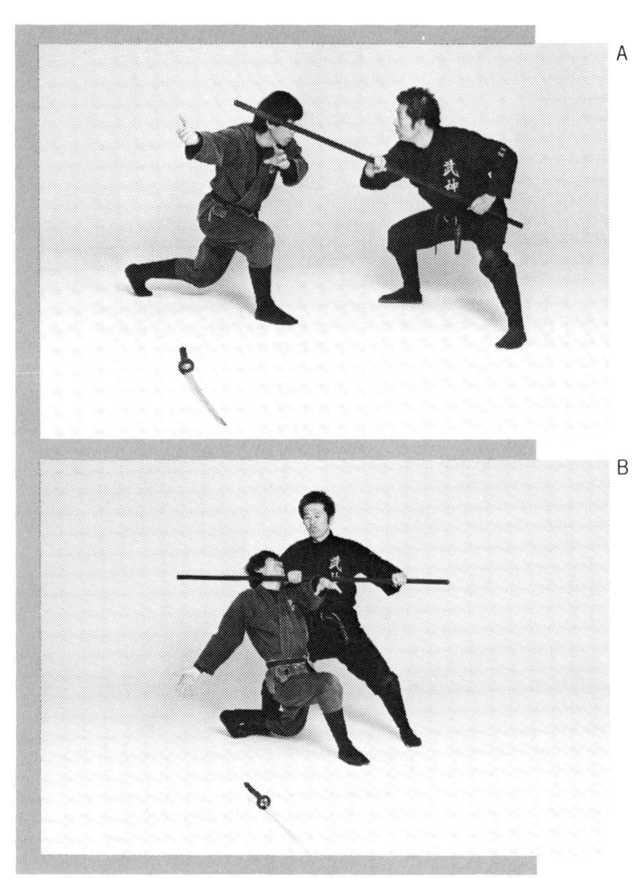

A

⑦横面を打ち，首を締めて折る。

B

Ⓐの右足をよく見てください。つまさきでⒷの左足を捕っている。

● 払（はらい）

①一文字の構え。

A

②Ⓑは太刀打ち込みくる。Ⓐは体変棒変。

B

刀が棒に当たり，すべる瞬間。

③右足円引きにしてⒷの小手を左手棒先で打ち下す。

④打ち当たらぬ時は，右手棒先の方で下よりⒷの小手をめがける。一刀をめがける。

⑤はね上げ。

⑥左手を放ちながら，

⑦体も同行。返る棒を左手で握りながら，Ⓑの左足を払う。この払いは体の螺旋の動きが，上下が大切である。口伝。

● 小手附

①中段の構え。

②突きに出る（つば）。

③棒を引く（相手が突いてくる時はそのまま押さえる）。または一刀の舵をとる骨法。

④Ⓑの左胴打ち（七段へ)。

⑤右手振り引きのごとくしながら，左手方の棒を放り上げ，

⑥面部に打ち込み，

⑦体の引き右棒引きの拍子にて，

⑧小手打ち上げる。

A

⑨左棒先を小手内側に入れ，右足にて入身右足ひざとり。右小手逆捕り。

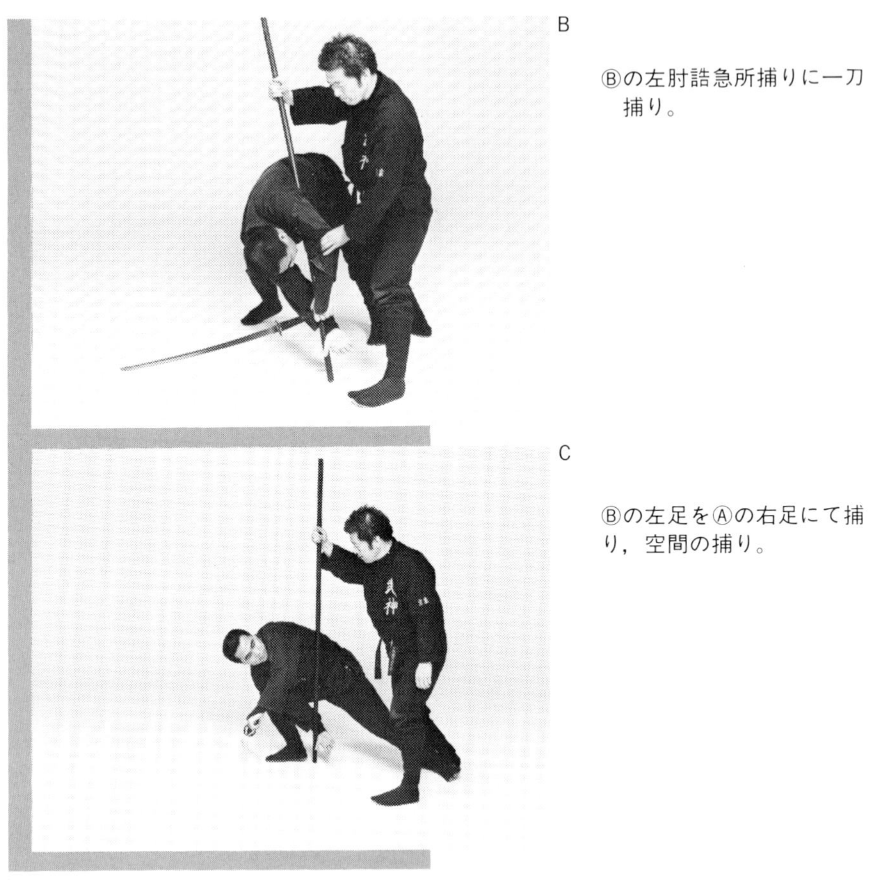

B

Ⓑの左肘詰急所捕りに一刀捕り。

C

Ⓑの左足をⒶの右足にて捕り，空間の捕り。

● 向詰(むこうづめ) (一)

①謳変の構え。

②鉾矢の構え（謳変の構えと同じだが，字体によるニュアンスにより棒心を悟謳変の変化の意を察知してほしい)。

③右手方の棒を放り上げながら，左手に棒を片手に握る。

④右足前進右手棒を握り，右から面部に打ちこむ。左足を一歩引きながら，

⑤詘変の左に構え，

⑥左手の棒を放り上げながら，右手片手のままⒷの面部に打ち込む。

⑦そのまま体を後方に引き，

⑧着地と同時に，左手棒頭を握り引きながら，

⑨左足引き鉾矢の構え。左足引きながら大変。右手放り上げはなち，

⑩棒を右手に上から握り打ちに体棒一如に面部打ち砕く。

A

⑪Ⓐ右手棒振りの時は，左胴打棒で打つというより，体で打つ心意気。

B

Ⓐは左棒振り，右手棒振りと自由に手渡し，猿渡りの一手を練磨のこと。

⑫Ⓑの左足打ち砕く（足ははうように打つ)。そのまま右足にて刀をとるみねより，

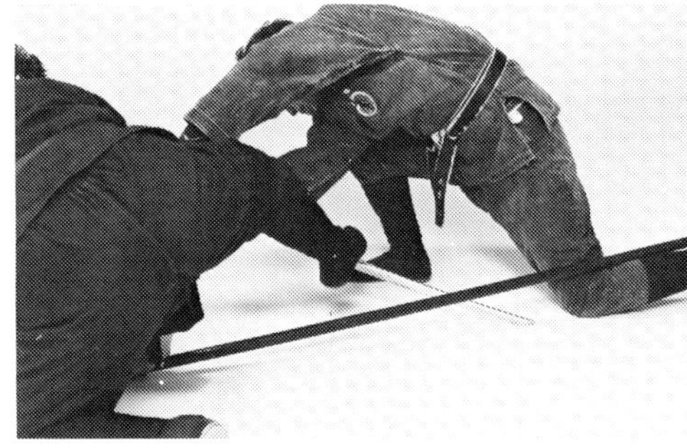

⑬これ以降，変化で押え砕く。

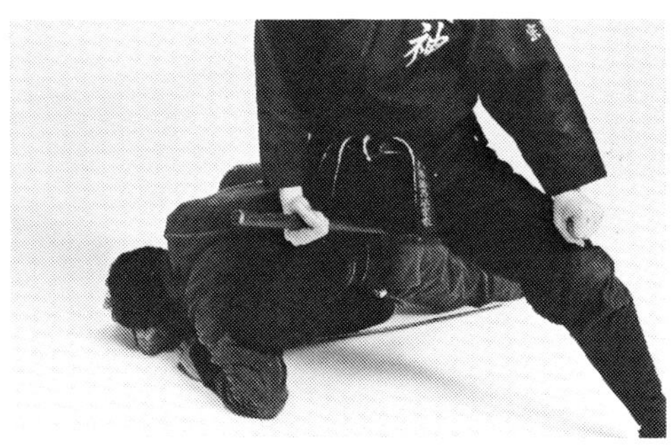

膝の変化でじりじりと押さえる。

棒は虎の尾のごとくⒷの動きを察知，止める。

● 向詰㈡

①諷変の構え。棒は何回も言いますが，強く握ってはいけない。体も棒も自由に動けるような体勢，と言うより体性を実とすることである。

②鋒矢の構えともいい，飛んでくる矢をよける構えでもある。

③突きに対する時，これを応用する。

④詭変の構え。

⑤右足一歩前進させながら右手先の棒を放り上げ，振り棒片手方でいく。

⑥棒術は棒と体のバランスを保つことが必要である。前後左右自由変化ができるように空間の構え。

⑦相手剣を棒払いする。入身に注意すること。故に左手は棒の舵をとるごとく軽く添える程度とする。

⑧力強く体で打ち込めば相手沈み受げ，

⑨右手棒握ったまま，左手上部に放り上げ，追突きを返し打ちしつつ飛びのき，

⑩右詭変の棒。

⑪棒を返しフェイントをかけつつ，

⑫足棒を使った目潰にいき，

⑬飛びのき左構え。

⑭右鉾矢の構えより左手放ち，

⑮棒を放り上げ打ち込み，

⑯自由飛び。

⑰残心の構え。

● 蹴(け)り挙(あ)げ

①向詰めのごとく放り上げ，面部を打ったあと，棒尻を右手にとるなり，

②左向けに体変して，

③左手を放り上げ，

④Ⓐの体の前で棒を右手支点に返しつつ，左手にて棒を捕るなり，

⑤身棒一体にしてⒷの左胴打ち。右手先で打つというよりⒶの左手の引きで打つという利を悟ってください。

A

⑥体にて払い突きに変化。棒では突かず。

B

Ⓑの左上腕を押さえつつ体変。Ⓑの左肩の急所を突き込み,

C

突き倒す。棒にて倒れぬ時は蹴り飛ばす。

●撃　留

①左青眼の構え。左手棒前方とす。

②突き。

③足は変化させずそのままで，右手の棒尻でⒷの左横面打ちの場合もあり。先ず右足一歩前進打ち込む。

④左足を引き，右手下に落とすようにしながら左手放しながら，

⑤左脇で棒反を左手でとりながら，棒返し一回。

⑥左突きにいく。

⑦左手の棒下に押すごとくして，右手棒を握ったままⒶの体前面で返し，左手棒より放ち，

⑧左手返る棒を左脇握りながらとり，

⑨Ⓑの左胴を打ち。

⑩右青眼に返る。

A

⑪この時⑨の動作は胴とは限らず剣払い，小手払い，足払いと変化して打つ練習をすること。

B

両手上げ体変。

C

両手打ちよりⒷの右小手掛け打ち落とし。口伝。

● 附(つき)入(いり)

①右青眼の構え。

A

②そのまま突きにいく。

B

変化してⒷの左小手
に附入る。

A

③右手を我が体の前面に大きく廻すようにして,

B

一旋(いっせん)させる。口伝。

④Ⓑの右胴打ち。

⑤両手で棒を拍子とるごとく浮振にしながら，

A

⑥右手棒より放ち，棒反転するのを右手にて棒をとり，Ⓑの右手上げ突きの気なり。

B

そのままの流れとして突きいる。

● 五 輪 砕

①長蛇の構え。左訩変の構えともいう。

A

②棒振りに出て,

B

棒蛇行のごとし。体即ち蛇行する。

C

蛇頭。

D

蛇頭首振りの構え振り。

③Ⓑの左胴　ただしこの打ち方左側の棒振りから,

A

④右側に棒振りをもっていくごとくして棒を回しつつ打つことになる。これを何回も繰り返して練習してほしい。

B

棒振り。

C

蛇行振り。全体をよく見てください。

D

蛇頭高く。

E

飛蛇，飛龍打ちに胴に蛟みつく意にて打ち下ろす。

● 天地人（てんちじん）

①右天地人の構え。

②我が右横に円を描くごとく棒を回し，

③下段はね上げつつ，

④体を落とし突きにいく。跳ね突きとなる。

⑤棒体を霞(かすみ)に左棒尻にて相手の右側頂頭部打ち，

⑥右足前進しつつ体と共に棒を落とし，打ちに相手左足折りにいく。

⑦相手がひるむところを棒先にて相手方腕または襟顎にかけて体を浮かし，

⑧体棒突きにて相手を飛ばし突く。

● 前　　広

①中段の構え。気のままにてよし。

②右足一歩前進すると同時に右手棒を前方に右手伸ばしつつ，Ⓑの左胴に入る。

③左手棒より放ちつつ，足はそのまま体の伸びにしたがって，

④Ⓑの面部に投げ当てるごとく打ち込む。体は拍子をはかる。左手は開いたまま棒尻を軽く押さえる。

⑤右手棒を我が右体に雲動するごとくして，棒を持ち来たりながら，

⑥棒一本杉に立てつつ一退飛び退き，

⑦一本杉風の受くるごとくして機を見て,

A

⑧左手棒により放ちつつ, Ⓑの足もとにたたき伏せ,

B

臥龍のごとし。

⑨右足曲したるまま左手にて棒をとり，

⑩坐の変化により追突き。

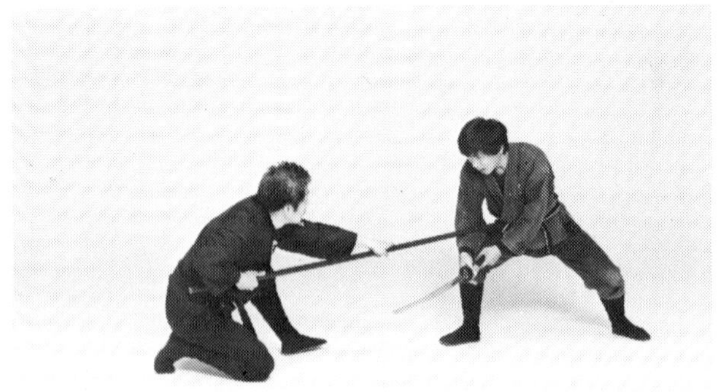

⑪待ち突き。

⑫捌き突き。これは坐す足の捌きにより突く。

⑬一刀捕り。

● 両小手

①中段の構え。

②左足を引きながら右手棒尻の方向より，足首の変化。これは秘伝である。

③Ⓑの両手を下よりはね上げ，

④左手棒尻でⒷの面を打ち込み，この際足の変化有る無し応変とする。

⑤右手棒先にてⒷの下段はね上げ，

⑥右手棒を頭上で返すごとくして，

⑦左手棒先にてⒷの下段をはね上げる。

● 浦　　波

①詘変の構え。両手下向きに棒握る。

②体の調子手の振り等により詘変に突き棒にいく。

③この時詘変突きの構えとなっている気構え。

A

④左手棒引くようにして右手に握った棒を掌中に流しつつ，逆天地に右脇に棒を立て，

B

Ⓐ右足前進。Ⓑの一刀を迷わせ，

⑤体の押し打ちにⒷの面を押し打ち，浦波のごとし。

⑥Ⓑの頭部で飛ばし体変。

⑦体と棒を棒握り握らず引き，この際体は右向きとなる。

A

⑧突き入り，跳ね棒あれば波にのせて，

B

棒横波に,

⑨左手を放し右脇に回し,

⑩棒それにのり我が右横より後ろに回し,

A

⑪面打ち。虚体。

B

面打ち虚体。虚虚に出て,

⑫

以下，変化繰り返し。⑬我が背部に回った棒も止どめ，　⑭体の返しにより右脇に棒を手首，体の拍子にまわしつつ，　⑮⑯　⑰　⑱我が前に帰りし棒を左手にて握り，　⑲Ⓑの左胴打ちにきめる。この際棒を体で拍子に止めたり，返したりする練習をするとよい。Ⓑの左胴打ち。

● 玉　返

①詘変の構え。

②棒体平掌飛雲にして突く面にてもよし，小手にてもよし，極まることなし，

③弧手(こて)突き（小手の平）。

④膝突き。

⑤面部突き。

⑥詘変の突きより飛雲
に棒引き。

⑦雲体にてⒷの左胴打ち。

⑧入身体にて左手放り上げながら,

⑨近間に突く。雲隠の突きという。

⑩左手を我が前面に振り，棒にしながら我が右横に棒くる時，

⑪左手も棒にかけ，体雲にして左足払い。押し。

⑫右手を頭上天にして，一転。

⑬下段に当て，押し玉(たま)返し。

A

⑭体にてちょうど雲を吹くごとく吹き上げる。

B

この際Ⓐの左右の上下の手拳の使い方に秘あり。

C

Ⓑ力量あれば，我が右足にて右手棒下を玉返しに蹴り込み，棒と共に当て込む。

A

⑮踊り型。勝身の踊り型という万才の構えより，

B

止め打ち。

C

止め打ち。

棒抜け

● 首抜け㈠

①四人に囲まれ棒で首を締められる。

A

②体を回転させながら，両肩を首につけるようにして，

B

肩と首

C

体の廻し。

A

③棒より抜ける。抜け芽。

B

産道。

C

一気。

A

④棒当て。潜り，浮力打ち。

B

棒構え。

C

払い。

A

⑤一本の棒を捕り体変。敵体を崩し，蹴り。

B

一戦。（⑥棒待つ相手を投げつける。）

● 首抜け(二)

①棒にて首締め，四人捕り。

A

②頭，肩，首の虚実。

B

体と腕のバランスが加わる。

③

棒を浮かし抜く。沈み。

④
浮力で打つ。

● 弁慶抜け

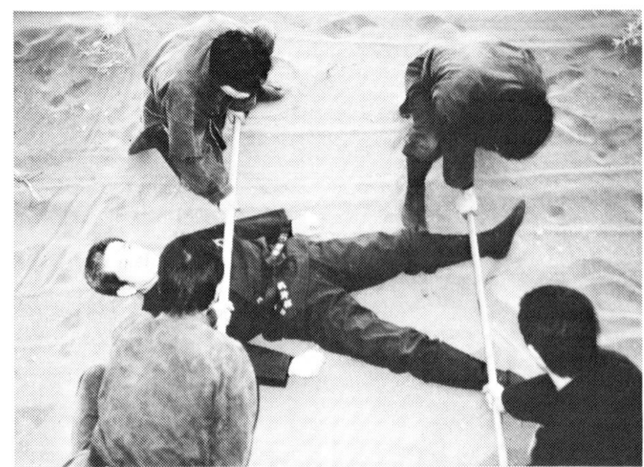

①棒抜け。４人でがっちりと棒で体を押さえつけさせる。

②棒を両手で握るかまたは手首でささえ，足首は八の字型として，

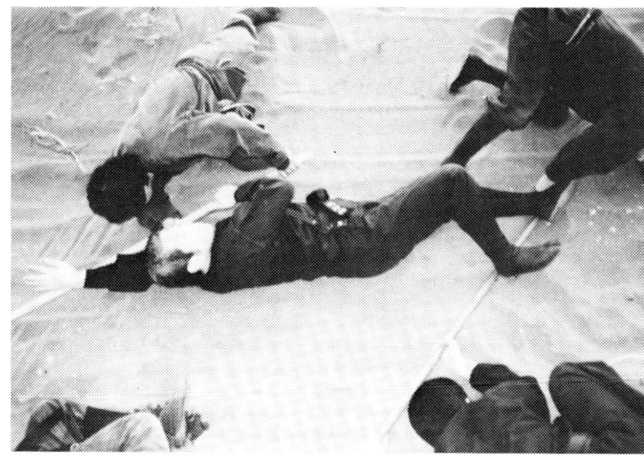

③一気に棒を抜く。

④棒が一気に抜けずとどこおる時，体を踊らせて棒から抜ける。

⑤体変と共に棒と体で相手をつぎつぎと押さえ当てる。

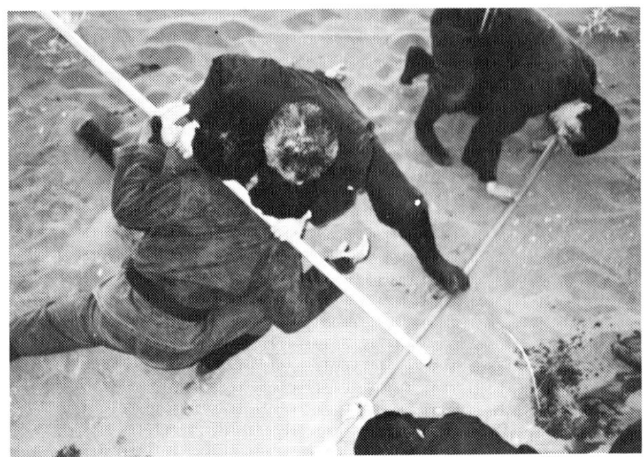

⑥首締め当てと自由抜けのこと。

⑦相手の頭砕きは棒で打つより，

⑧足の振りと，

⑨倒れる振り体で体で
打つ。これが砕きの
一字に一変する。

⑩手の振りだけでなく，

⑪体の振りから発する
強風で吹き倒す。

初見 良昭　指南書
写真で覚える 棒　術

著　　者　初見　良昭
発 行 者　田仲　豊徳
発 行 所　株式会社 滋慶出版／土屋書店
〒150-0001　東京都渋谷区神宮前3-42-11
TEL 03-5775-4471　FAX 03-3479-2737　E-mail shop@tuchiyago.co.jp
印刷・製本　日経印刷株式会社

　http://tuchiyago.co.jp